JN042632

沖縄について私たちが知っておきたいこと

高橋哲哉 Takahashi Tetsuya

★――ちくまプリマー新書
457

目次＊Contents

まえがき

沖縄県には本土から年間数百万人もの人が観光に訪れます。青い空と太陽、エメラルドグリーンの海、独特の食文化、ゆったりとした時間が流れる南国のイメージなど、本土にはないエキゾチックな要素が多くの人を惹《ひ》きつけるのでしょう。修学旅行に訪れる学校数も毎年二五〇〇校前後、生徒数は四〇万人を超える（コロナ禍の期間を除く）といいます。なかには、「平和学習」といって、沖縄戦にかかわる遺跡や施設を見学する学校もあるそうです。

その沖縄はまた、「基地の島」でもあります。自衛隊基地だけでなく、アメリカ軍基地が三一か所もあり、沖縄島の約一五%もの広大な土地を占めて広がっています。沖縄を訪れた目的が観光であっても修学旅行であっても、車道に沿って延々と続く基地のフェンスや、轟音《ごうおん》を響かせて頭上を飛んでいく軍用機を見ないですむことはまずないでしょう。本土からの訪問者は、沖縄が基地の島であるという点でも本土と大きく異なっていることを強く意識させられるのではないでしょうか。

こうした訪問者が毎年数百万人にも上るとすれば、本土でも沖縄の基地問題への関心が高まっていいはずだと思うのですが、現実は決してそうではありません。たとえば、さまざまな社会問題にかんする書籍のなかでも、沖縄の基地問題がテーマの本は「売れない」とよく言われます。基地問題に苦しむ沖縄の人びとから見れば、「本土の人たちはなぜ無関心でいられるのか」ということになるでしょう。

観光を終えて本土に戻ると、多くの人は日常生活のなかで、楽しかったことだけを記憶にとどめ、基地の光景は忘れてしまう。本土には米軍基地のない府県が三〇以上もあります（二〇二三年現在）。東京には横田基地がありますが、基地周辺の住民を除いて、圧倒的多数の人びとはその存在を意識せずに暮らしています。私たちは沖縄を一時的に訪問し、基地の存在を一瞬意識したとしても、結果的に基地を「見なかった」のと変わりない日常に戻ってしまうかのようです。

本書は、沖縄の基地問題をテーマとしていますが、いわゆる「国際政治学」や「軍事的安全保障論」の立場から専門的議論をするものではありません。

筆者は「国家と犠牲」をめぐる思想的諸問題と格闘するなかで、戦後日本国家の「犠牲のシステム」としての「沖縄の基地問題」にぶつかりました。そしてこの問題は、何よりも日本本土の一市民である筆者にとって、避けられない問題であることに気づかされたのです。

沖縄では、沖縄への長年の基地集中とその過剰な負担への本土の無関心は、沖縄に対する差別の結果だという意識が広まっています。なぜそのような意識が生じるのか、そこにはどんな歴史的および構造的理由があるのか。そのことについて、筆者の見方をあえて率直に記したのが本書です。本土に住む筆者の見方ですから、まだまだ「見えていない」部分もあることでしょう。ただ、沖縄の基地問題を理解し、その解消をともにめざしていくためには、少なくともこれだけのことは踏まえておく必要があるのではないか、と筆者が考えていることを記したつもりです。

こうした事情から、書名は『沖縄について私たちが知っておきたいこと』としました。「私たち」には、もちろん本書の読者になりうるすべての皆さんを含めていますが、沖縄の方からすれば、「沖縄のことを本土の人間に教わる必要などない」となって当然です。その意味で、本書はあえて、主たる読者を本土の人たちと想定しています。とりわけ、沖縄を旅したことはあるけれど、基地問題には関心がなかったという方、報道で沖縄の基地問題に接するけれども、なぜ沖縄だけで大問題になるのか分からなかったという方など、沖縄の基地問題がよく分からないという本土の方に、是非読んでいただけたらと願っています。

※「本土」という語は沖縄に対する植民地主義的な見方を含んでいるという考えから、括弧《かっこ》に入れた表記を使う場合がありますが、他に適当な語がなく、また読みにくくなるのを避けるため、本書では括弧に入れずに記します。

第一章　沖縄の歴史

一　琉球処分

沖縄は琉球という国だった

沖縄のことを理解しようとするなら、その第一歩は、沖縄はかつて日本とは別の国だったことを知ることでしょう。それを知らないと、現在の沖縄をめぐる諸問題についても肝心なところが分からなくなってしまいます。つまり、まずは沖縄の歴史を知ることが必要です。

沖縄はかつて琉球《りゅうきゅう》という名の国でした。一五世紀には第一尚氏《しょうし》王統の尚巴志《しょうはし》王によって沖縄島（沖縄本島）に王府を置く統一国家が成立し、最盛期には北は奄美《あまみ》群島から南は先島諸島（宮古、八重山《やえやま》諸島）に至る島嶼《とうしょ》群を版図としました。王が統治したので琉球王国とも呼ばれます。このあと説明する「琉球処分」まで王家が存続していましたが、琉球国の独立性は近代の主権国家に見られる独立性とはやや異なっていました。

現在の鹿児島県にあった薩摩《さつま》藩の藩主・島津家久《しまづいえひさ》が一六〇九年に琉球王国に侵攻し、強力な軍をもって首里城に迫り尚寧《しょうねい》王を屈服させました。これを「薩琉戦争」と呼ぶこともあります。薩摩は奄美諸島などを琉球から奪って薩摩藩の版図に組み入れます。一方、琉球王府のある沖縄島を中心とした地域は、米の貢納を命じられるなど事実上の支配を受けながら、表向き国の存続が認められたのです。

薩摩の侵攻は徳川幕府の了承を得てのものだったといわれます。一六〇九年といえば、関が原の戦いに勝利した徳川家康《とくがわいえやす》が江戸に幕府を開いてから六年ほど。島津氏は関が原では徳川の敵（西軍）でしたから、慎重に家康の承認を得たのだと思われます。

背後に江戸幕府がいた薩摩藩が琉球王国を存続させたのは、もうひとつ、当時の中国（明）との関係に配慮する必要があったからです。琉球王国は明に朝貢していて主従関係にあり、明から琉球諸島に対する統治権を承認されていました（冊封《さくほう》）。当時は琉球だけでなく中国周辺の国々は中華世界の中に統合されていたため、それを日本が支配する形になると中国とぶつかってしまいます。そこに配慮して、全面的な支配にならないように、奄美といくつかの島だけを薩摩の直接支配とし、琉球王国には年貢を納めさせるという形で一定の支配下に置いたわけです。

つまり、琉球国は薩摩と明とに「両属」する形で王がいて、国として一定の独立を保っていたと考えられるのです。

「処分」は侵略だった

「黒船襲来」で知られる米国のペリー提督は、浦賀《うらが》に来航する前にじつは琉球に立ち寄っていました。一八五四年に日米和親条約を結んだ後、再び琉球へ行って同年に琉米修好条約を結んでいます。琉球国はそれに続いて、一八五五年にはフランスと琉仏修好条約、五九年にはオランダと琉蘭《りゅうらん》修好条約と、計三つの修好条約を結びます。日本ではあまり知られていませんが、これらの条約の原本は明治政府が東京に持ち去り、現在も外務省に保管されています。

このように、琉球王国が欧米列強と国際条約を結んでいたことは、一つの独立した国として認められていた証しだともいわれます。日米和親条約と同じように不平等条約であったという限界はありましたが、アメリカ、フランス、オランダと条約を結ぶほどの国であったともいえるわけです。ところが日本は、琉球をそのようには扱わなかったのです。

日本の近代化は明治維新から始まります。一八六八年に明治政府が成立しますが、当時すでに朝鮮に対する征韓論が出ていたように、明治政府の指導者たちは海外進出の野心を抱いていました。

これについては吉田松陰《よしだしょういん》の思想を参照するのがよいでしょう。長州藩の武士であった吉田松陰は尊王攘夷《そんのうじょうい》を唱え、松下村塾で藩の若者を教えていましたが、そこから明治維新の志士や伊藤博文《いとうひろぶみ》、山県有朋《やまがたありとも》など明治政府の大物が輩出します。松陰の教えは明治の日本に大きな影響を与えたのです。

その松陰が獄中で記したという『幽囚録』に、次のような趣旨の記述があります。「日本はいま武力を整え、軍艦大砲を備えれば、外に向かって大きく飛躍することができる。蝦夷《えぞ》地、琉球、さらに朝鮮《ちょうせん》、満州、そして支那《しな》、ルソンなどを日本の支配下に収めることができる」。

松陰はここで、日本の周辺地域を軍事力で奪取していく際に、琉球を他の諸藩の藩主と同じように幕府に従わせるのだ、という言い方をしています。のちに明治政府が行なう「琉球処分」は、まるでこの松陰の計画を実行するかのように進められたのです。

「琉球処分」とは、一八七二年から七九年にかけて、明治政府が琉球王国を廃して沖縄県を設置した一連の措置をいいます。その際、明治政府は、全国で実施した廃藩置県と同じ形を取るために、まず琉球国王の尚泰《しょうたい》を琉球藩主として封じて華族とし、東京に藩邸を与えます。そのうえで、清との朝貢関係を続けようとする琉球側の抵抗を押し切り、尚泰を強制的に東京に連行して沖縄県を設置し、琉球王国を滅亡させたのです。

このとき、明治政府から派遣されて琉球に日本への帰属を迫ったのが「琉球処分官」

の松田道之です。松田は最終的に日本軍部隊（当時の熊本鎮台）に琉球王府のあった首里城を包囲させ、軍事力で威嚇して「処分」を断行しました。当時の写真が示しているように、「琉球処分」とは、まさに軍事力を背景に強制的に琉球を日本に併合した事件だったのです（図1）。

今日の歴史家のなかには、「琉球処分」はその三十年あまり後に行なわれる韓国併合の先駆であったとして、これを「琉球併合」と呼ぶ見方も出てきています。

昨今、修学旅行で沖縄を訪れる際にはほとんどの場合、首里城を見学すると思います。首里城はかつて日本とは別の国、琉球国の王城であったことをしっかり認識する必要があるでしょう。なお首里城は一九四五年の沖縄戦で破壊され、一九九二年に復元されましたが、二〇一九年一〇月三一日の火災で崩壊し、現在、その再建工事が行なわれています。

図1　首里城の正門「歓会門」前に並ぶ明治政府軍の兵士（日本カメラ博物館所蔵）

「現代の琉球処分」

沖縄にとって「琉球処分」は、日本から武力で威嚇されてやむなく従い、国を失った事件ですが、その歴史の記憶は現代にも生きています。沖縄が現在置かれている状況と結びついているのです。

この間、沖縄の基地問題で最大の焦点になってきたのは、普天間《ふてんま》飛行場の辺野古《へのこ》移設、事実上の新基地建設問題です。仲井眞《なかいま》弘多《ひろかず》知事（二〇〇六―二〇一四年）は自民党系の政治家で、一期目は、世界一危険とも言われる普天間飛行場が返還される代わりに、その代替施設として、沖縄県内の名護市辺野古に米軍海兵隊の基地を作ることを容認する立場でした。ところが二期目に選挙に出たときは、沖縄の世論に配慮して、辺野古ではなく本土のどこかに移設する「県外移設」の立場をとるようになりました。鳩山由紀夫《はとやまゆきお》首相が進めようとして失敗した政策ですが、仲井眞知事はそれを公約に掲げて当選したのです。辺野古容認から県外移設へ仲井眞知事に公約の転換を勧めたのが当時那覇市長だった翁長雄志《おながたけし》氏でした。

仲井眞知事だけでなく、当時の沖縄では自民党選出の国会議員全員が、東京の自民党本部や日本政府の辺野古移設方針とは異なり、県外移設を公約して当選するという異例の状況になっていました。そこでこれに対して、自民党本部はさまざまな形で圧力をかけ、最終的には全員に県外移設の公約を翻させて、辺野古容認を受け容れさせたのでした。

当時の報道写真では、沖縄選出の自民党国会議員全員が首をうなだれて石破茂《いしばしげる》自民党幹事長の脇に座っています。いかにも本土の中央権力が沖縄を力ずくで屈服させたような印象があり、それが明治の「琉球処分」を沖縄の人びとに思い起こさせ、「現代の琉球処分」ではないかと言われるようになったのです。

百年前の亡国の出来事が今によみがえったかのように語られるところに、沖縄が今日置かれている厳しい状況が表われているように思います。

宮古・八重山「分島・増約」案

明治政府による琉球の併合は当然ながら波紋を引き起こしました。清は琉球王に対して冊封する立場にあったので、日本による一方的な措置に反発しましたし、琉球でも当時の士族のなかに抵抗運動が起こりました。日本に併合されることに反対する人たちが清に渡って窮状を訴え、琉球国再興のための助力を求める活動を行なったのです。この人々を「脱清人《だっしんじん》」といいます。

少なくとも数十人の脱清人が現在の福建省福州の琉球館に集まって活動したと言われています。彼らの訴えを聞いた清は、当時東アジアを訪問していた米国のグラント前大統領に仲介を依頼しました。

清がまず示したのは、奄美諸島については日本領として認め、琉球王国を存続させ、宮古・八重山諸島については清のものとするという三分割の案でした。

これに対して日本は、沖縄島までを日本領として、宮古・八重山諸島を清の領土とし、清は日本に最恵国待遇を与えるという案を出します（図2）。日本は宮古・八重山諸島

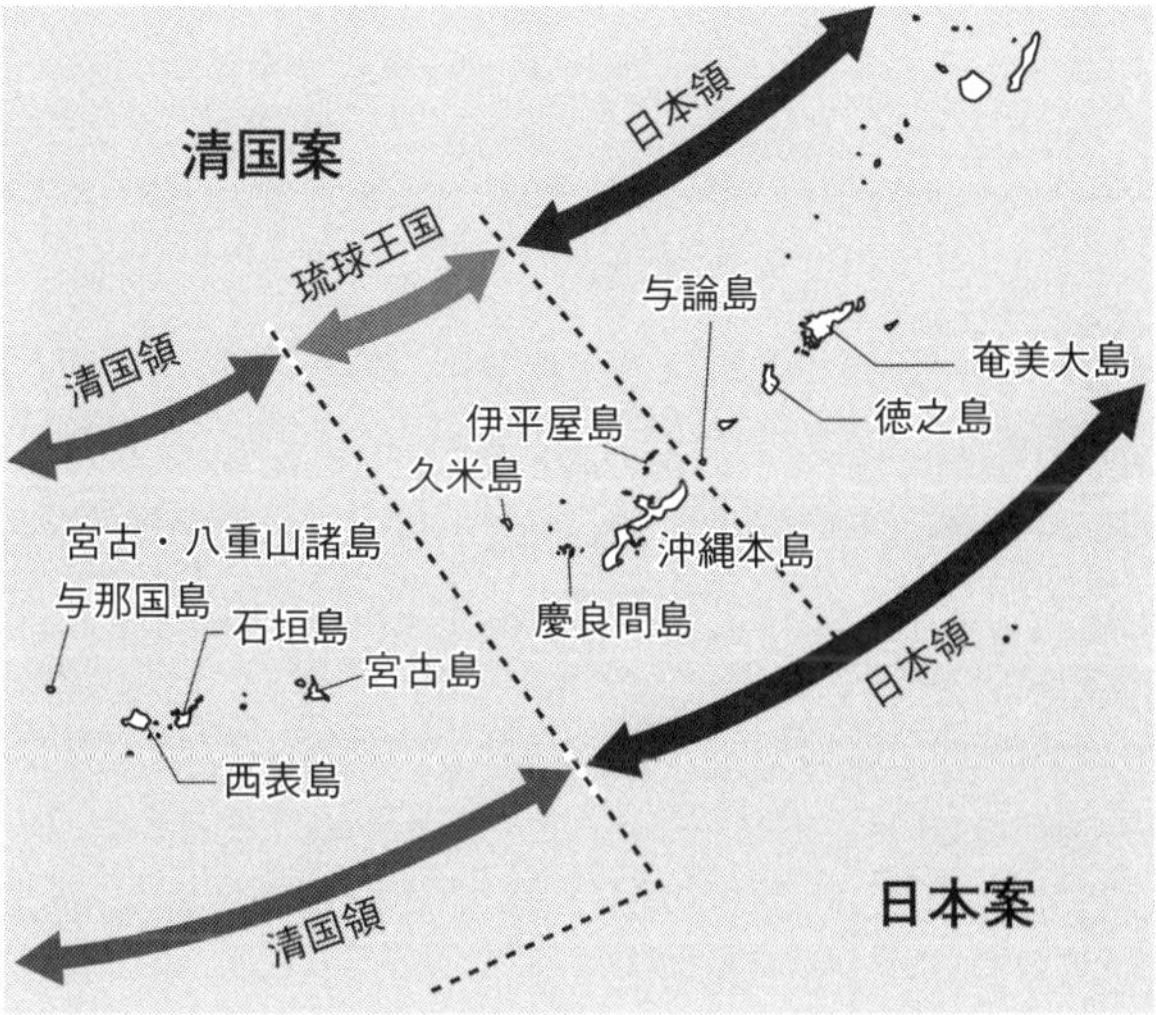

図2　宮古・八重山の分島条約分割案

を清に譲る代わりに、日清修好条規（一八七一年）を改正して、日本が通商上、清国内で欧米諸国と同等の待遇を与えられるよう要求したのです。

これがいわゆる宮古・八重山「分島・増約」案でした。

清もいったんは日本の案に合意しましたが、脱清人はこの二分割案に強く反対し、林《りん》世功《せいこう》が抗議の自決をしたことなどで清国政府が態度を変え、合意は白紙に戻ります。

この分島・増約案の顚末《てんまつ》から何が見えてくるでしょうか。それは、明治政府にとって沖縄はどうしても死守したい領土ではなく、大国との取引で場合によっては分割したり、その一部を手放してもよいものであったということではないでしょうか。明治政府はいったんは宮古・八重山を清の領土とすることに合意したのです。

アジア太平洋戦争末期にも、示唆的なことがありました。昭和天皇の命で近衛《このえ》文麿《ふみまろ》がまとめた「和平交渉の要綱」（一九四五年七月）では、琉球諸島は日本の「固有本土」から除かれ、やむを得ない場合は放棄することも可能とされたのです。

現在、日本政府が「わが国固有の領土」と主張している尖閣諸島は行政上は沖縄県石垣市、つまり八重山に属していることも指摘しておきましょう。

分島・増約案が流れた後、朝鮮をめぐって日清は対立し、日清戦争が起こります。この戦争で日本が清に勝利したために、脱清人たちの琉球救国運動は実を結ばず、日本の琉球併合と沖縄県設置が確定することになったのです。

「日毒」という言葉

石垣島在住の詩人、八重洋一郎さんの作品に『日毒』という詩集があります（二〇一七年、コールサック社刊）。「日毒」とは驚くなかれ、「日本の毒」という意味です。

八重さんの高祖父は「琉球処分」の頃、八重山で書記官、つまり琉球王国の官職に就いていました。その高祖父の書き残したメモが三五年前に発見され、そこに「日毒」という言葉があったのだそうです。

「光緒五年、日人〔日本人のこと〕が琉球に侵入し、国王とその世子を虜にして連れ去り、国を廃して県となし、只《ただ》いま島の役人が君民日毒に遭い困窮の様を目撃、心痛のあまり危険を犯して訴えに来閩《らいびん》」（閩は福建省の福州）。「光緒」は清の元号で、光緒五年は一八七九年、まさに琉球併合と沖縄県設置の年です。亡国の渦中にある琉球の役人が日本の横暴を「日毒」と表現し、清の福州に渡って救済を訴えたことが記されていたわけです。

八重洋一郎さんは子どもの頃、祖母から、曽祖父（祖母の父）が島の牢に入れられ、拷問されていた話を聞いていました。おばあさんはその牢まで、毎日食事を届けていたといいます。曽祖父は解放後、拷問の後遺症でしょうか、何も語らず静かな「狂人」として生涯を終えたそうです。そして後年、八重さんが曽祖父の家を取り壊した際、祖母の居室があった場所の地中からボロボロの手文庫が見つかり、紙魚《しみ》に食われ湿気に汚れて今にも崩れ落ちそうな茶褐色の色紙が一枚出てきて、そこに「日毒」と血書されていたともいうのです。

高祖父と曽祖父、その二人が遺した「日毒」という言葉。八重洋一郎さんは、この言葉は今なおリアリティをもっていると言います。日本政府が進める辺野古の新基地建設や「南西諸島」への自衛隊ミサイル部隊配備などへの強い危機感が、そこには表われています。

二　人類館事件

人を展示

「琉球処分」後、一九〇三年（明治三六年）に、第五回内国勧業博覧会が大阪で開催されました。万国博覧会は世界中の国々が参加してその時々の産業や文化を展示するものですが、内国勧業博覧会は国内で「勧業」、つまり産業を活発化するために行なわれた展覧会です。万博の国内版みたいなものと言ったらよいでしょうか。第五回の大阪では海外からの出品物も多く、盛大なものだったようです。

この博覧会のパビリオンの一つに「学術人類館」がありました。『東京人類学会雑誌』に掲載された「人類館開設趣意書」には、こう書かれていました。「有志の者相諮り内地に最近の異種人即ち北海道アイヌ、臺灣《たいわん》の生蕃《せいばん》、琉球、朝鮮、支那、印度、爪哇《じゃわ》、等の七種の土人を傭聘《ようへい》し其《そ》の最も固有なる生息の階級、程度、人情、風俗、等を示すことを目的とし各国の異なる住居所の模型、装束、器具、動作、遊戯、人類、等を観覧せしむる所以《ゆえん》なり」。アイヌ、台湾原住民、琉球人、朝鮮人、中国人、インド人、ジャワ人などの「異人種」を「七種の土人」と呼び、それらの人びとを「内地」に連れてきて「展示」し、生活や風俗のありさまをまるで見世物のように「観覧」させるというのです。

一九世紀後半以降の欧米では、今日「人間動物園」(human zoo)と呼ばれる催しが流行しました。アフリカの人などを「未開の野蛮人」と見なして人びとを動物園の動物のように展示し、好奇の眼で見て面白がっていたのです。その根底に「文明と野蛮」という植民地主義的・人種差別的価値観があったことは明らかです。大阪の人類館事件は一九〇三年のことですから、日本人が早くもそのような「文明国」意識をもち、周辺諸民族を「遅れた」「未開の」人びととして見下していたことに驚かされます。

見世物にされた人びとの写真が残っています(図3)。「琉球の貴婦人」として紹介さ

図3　学術人類館に展示された人たち（小原真史蔵）

れた女性二人は那覇の「ジュリ」（遊女）だったとされていて、最前列左の二人と思われます。

これに対しては、清、朝鮮、そして沖縄からも激しい抗議の声が上がり、それぞれの展示が中止されます。沖縄の知識人、太田朝敷《おおたちょうふ》は琉球新報紙上で、学術の美名を借りて利益をむさぼるものと批判しましたが、一方では、琉球人を台湾原住民やアイヌと同一視することほどひどい侮辱はないと憤りました。琉球人は沖縄県民としてすでに大日本帝国の立派な一員、文明人であって、遅れた周辺民族と一緒にすべきではないという意識が生まれていたのです。帝国「内地」の人間が琉球人を見下し、琉球人が帝国の一員として他民族を見下という差別の序列ができあがりつつありました。

「土人」発言事件

沖縄の人たちは今でも、日本本土の人を「ヤマトゥンチュ」（ヤマトゥの人）と呼び、自分たちを「ウチナーンチュ」（ウチナーの人）と呼びます。本書ではここから、ヤマトゥンチュの意味で「日本人」、ウチナーンチュの意味で「沖縄人」と言うことにします。この場合、「日本人」は「沖縄人」を含む「日本国民」と区別されることになります。

人類館事件はその後、日本人の沖縄人に対する差別を象徴する歴史的事件として記憶されていきます。一九七六年には知念正真《ちねんせいしん》作の戯曲『人類館』が沖縄の演劇集団「創造」によって上演され、事件から一〇〇周年の二〇〇三年には事件の地元、大阪でも上演されました。

最近では二〇一六年の秋、事件の記憶がまた呼び覚まされました。沖縄島の米軍北部訓練場の半分程度が返還される代わりにヘリパッドを六つ建設する計画に対して、地元の東村高江《ひがしそんたかえ》では反対運動が起きていました。工事の進展にともない反対運動が激しくなると、本土から機動隊が派遣され、道路や出入り口に座り込んで抗議する人びとを排除するようになります。そのなかで、大阪府警から派遣された機動隊員の一人が抵抗する人びとを「土人」呼ばわりしたのです。別の機動隊員は「黙れ、支那人」と叫びました。「支那人」という日本語は中国人を見下す意味で使われた言葉です。つまりこの場合、日本人の機動隊員は、反対する沖縄人を「土人」や「支那人」という差別的な意味を込めた言葉で罵倒したのです。

人類館事件のことを知っているとは思えない現代日本の若い機動隊員が、まるで当時の差別的意識そのままに、沖縄の人びとを「土人」、「支那人」と呼んで攻撃した事実。沖縄では当然、抗議の声が上がりました。基地反対運動への抑圧の背景には、やはり本土の沖縄に対する差別があるのではないか。機動隊員の「土人」発言事件は現代の人類館事件ではないかといって、歴史の記憶が呼び戻されることになったのです。

これに対して、当時の安倍政権の対応はどうだったでしょうか。沖縄・北方担当大臣であった鶴保《つるほ》庸介《ようすけ》氏は参議院内閣委員会で、「人権問題であるかどうかの問題で、一方的に決めつけるのは非常に危険だ。言論の自由はどなたにもある」と発言。「差別用語とされるものでも過去には流布していたものもたくさんある」、「私個人が大臣という立場でこれが差別であるというふうに断じることは到底できない」などと、「土人」発言を擁護するような答弁をしました。これには批判が噴出しましたが、安倍内閣は「土人には土着の人、未開の土着人などの意味があり、一義的に述べることは困難」として、鶴保大臣の発言撤回や謝罪の必要はないとの閣議決定をします。結果として、「土人」発言を政府自身が容認し、肯定しているのではないかと疑われることになったのです。

本土における沖縄人差別は、沖縄出身者が比較的多い関西でより強く、戦前には「朝鮮人、リキ人（琉球人の意）お断り」などといった看板を出す工場などもあったと言われます。戦後も二〇〇〇年代に入ると「沖縄ブーム」が起こり、観光地としての人気や沖縄出身芸能人の活躍などで「沖縄好き」を自任する人が増えて、さすがに差別や偏見は影をひそめたと思われていました。それだけに、「土人」発言事件はいっそう衝撃的だったのです。米軍基地問題をめぐっては、基地に批判的な沖縄の動きに対していわゆる「沖縄ヘイト」的な攻撃が目立つようになったのも、この問題の根深さを示しています。

三　アジア太平洋戦争と沖縄

なぜ地上戦が決行されたのか

日本が中国、アメリカ、イギリスなどとアジア太平洋戦争を戦い、一九四五年八月一五日に敗戦に至ったことはご承知の通りです。その最終盤に沖縄で凄惨な地上戦があり、民間人にも大きな犠牲を出したことも知られるようになってきました。ただ、沖縄戦の政治的意味についてはまだ知られていないことが多いようです。

一九四五年の三月末から約三か月間戦闘が続いたのですが、日本軍は「軍民一体」の名のもとに民間人（女性、子どもを含む）を総動員し、その結果、県民の四人に一人が戦死するという稀《まれ》に見る悲惨な結果となりました。一家全滅というケースも少なくありませんでした。

沖縄戦でのこうした犠牲は、日本における沖縄差別を顕《あら》わにしたものでもあります。沖縄戦を一般に「捨て石作戦」と呼ぶゆえんです。

一九四五年といえば、日本の敗戦は必至の状況でした。そんななかで当時の日本の指導層が恐れたのは戦争に負けることだけではなく、その結果、天皇の戦争責任が追及され、天皇制が崩壊してしまうことでした。

帝国憲法のもとでは天皇が日本の統治権者、つまり主権者であり、元首であり、さらには陸海軍を直接に統帥する最高司令官でした。天皇は大元帥と呼ばれ、日本軍のトップだったのです。日本軍の行なった戦争について戦争責任が問われることになれば、天皇への責任追及を免れることは難しくなります。実際、日本と戦った連合国のなかで、中国、ソ連、オーストラリアといった国々は天皇の責任追及に積極的な姿勢を見せていました。そこで日本の指導層は、敗戦はやむを得ないとしても、「国体」（天皇を中心とした国家体制）を護持し、天皇制を守ることを最大の目標にしていたのです。連合国から天皇制維持の確約を得るまで、米軍の本土上陸を可能な限り遅らせるなどして、なんとか時間を稼ぎたい状況でした。そのために、沖縄県民を巻き込んで持久戦を行なったのです。これが「捨て石作戦」の意味です。

捨て石とされた沖縄

沖縄が「国体護持」のための「捨て石」にされたという認識に関連して、先にも触れた近衛文麿による「和平交渉の要綱」（図4）も重要です。

近衛文麿は日中戦争の初期に内閣総理大臣を務めましたが、戦争を収拾できず泥沼化させてしまいました（一九三七—三九年）。そういう元首相に昭和天皇は、当時はまだ日本の交戦国ではなかったソ連を仲介役にして、米英を中心とする連合国と和平交渉をするように命じたのです。

近衛文麿が作成した要綱のポイントを見てみましょう。まず「一、方針」として次のようにあります。

つたと告げた。近衞も同意した。訓令の內容について話が出て、近衞は、

「窮屈なものは困るから、そうならぬ樣に外相が、六人會議をリードして頂きたい。今自分は陛下に御目にかける案を作つているが、これは外相だけにはお目にかける」

と言つた。

ところでこの近衞の案というのは、酒井鎬次を煩わして作つたのである。酒井の直話によると、近衞からそのことを頼まれた時、近衞も酒井もかねてからソ連不信で、ソ連を仲介とすることには反對だつたのだから、近衞がソ連行きを引受けて來たことに異議を言つたが、近衞が陛下の御樣子に胸を打たれて、何も言わずにお受けしたことを話したので、酒井も、それでは一つやろうと言つて、交渉案を作ることを引受けた。

近衞は二、三日中に作つてくれと言つたが、酒井は六時間位で作つた。近衞に「出來た」と言つたら、近衞はノートを取るため、紙と鉛筆を持ち出したが、酒井は既に文書にしていたので、そこで二人で五、六時間に亙つて論じ合い、近衞は酒井の原案を大いに修正した。それを又酒井が修正し、近衞が更にそれを修正するという樣にして作つた。「要綱」と「解説」に分けて、「要綱」は陛下と直々にお話して、陛下の御璽を頂くことにし、「解説」の方は木戸の諒解を得て、木戸の印を貰うことにした。それは次の樣なものであつた。

和平交渉の要綱

一 方針

(一) 聖慮を奉戴し、なし得る限り速かに戰爭を終結し、以て我國民は勿論世界人類全般を、迅速に戰禍より救出し、御仁慈の精神を內外に徹底せしむることに全力を傾倒す

(二) これがため內外の切迫せる情勢を廣く達觀し、交渉條件の如きは前項方針の達成に重點を置き、難きを求めず、悠久なる我國體を護持することを主眼とし、細部については、他日の再起大成に俟つの宏量を以て、交渉に臨むものとす

図4 『近衛文麿』p559 ～ 562（近衛文麿伝記編纂刊行会）

㈢ ソ連の仲介による交渉成立に極力努力するも、萬一失敗に歸したる時は、直ちに英米との直接交渉を開始す。その交渉方針及び條件に就ては、概ね本要綱に依るものとす

二　條　件

㈠ 國體及び國土

(イ) 國體の護持は絶對にして、一歩も讓らざること

(ロ) 國土に就ては、なるべく他日の再起に便なることに努むるも、止むを得ざれば固有本土を以て滿足す

㈡ 行政司法

(イ) 我國古來の傳統たる天皇を戴く民本政治には、我より進んで復歸するを約す。これが實行のため、若干法規の改正、教育の革新にも亦同意す

(ロ) 行政は右の趣旨に基き、帝國政府自らこれに當るに努むるも、止むを得ざれば、若干期間監督を受くることに同意す

(ハ) 司法は帝國司法權の自立に努むるも、戰爭に關係ある事項の處理につき止むを得ざれば、戰爭責任者たる臣下の處分はこれを認む。これが實行に關し止むを得ざれば、彼我協議の上一部の干渉を承諾す

㈢ 陸海空軍々備

(イ) 國内の治安確保に必要なる最小限度の兵力は、これを保有することに努むるも、止むを得ざれば、一時完全なる武装解除に同意す

(ロ) 海外にある軍隊は現地に於て復員し、内地に歸還せしむることに努むるも、止むを得ざれば、當分その若干を現地に殘留せしむることに同意す

(ハ) 内地にある軍隊は、(イ)項に關するものを除き、他を悉く速かに復員す

(ニ) 兵器、彈藥、軍用艦船、航空機は、(イ)項に關するものを除き、これを廢棄又は提出することに同意す

㈣ 賠償及び其他

(イ) 賠償として、一部の勞力を提供することには同意す

(ロ) 條約實施保障のための軍事占領は、成るべくこれを行わざることに努むるも、止むを得ざれば、一時若干軍隊の駐屯を認む

㈤ 國民生活

(イ) 窮迫せる刻下の國民生活保持のため、食糧の輸入、輕工業の再建等に關し、必要なる援助を得るに努む

(ロ) 國土に比し人口の過剰なるに鑑み、これが是正のため必要なる條件の獲得に努む

三　休戰と平和との關係

(一) 本要綱の諸條件は、なるべくこれを休戰條約に包含せしむることに努むるも、先ず速かに休戰を成立せしめ、國民を戰禍より救うの必要上、止むを得ざれば、その一部を平和會議に移すことに同意す

(二) 右の場合、前諸項條件中重要なるものに關しては、少くとも好意ある保障を取付くるに努む

解　說

一　目　的

余は飽くまでも聖慮を奉じ、本交渉を纏めんとする決意を以て、出發せんとす。これを以て別紙要綱につき、聖斷を仰ぎ度き所存なるところ、餘りに細部に亘り聖斷を仰ぐは、恐懼に堪えざるを以て、別紙要綱の細部につき兩人の解釋を一致せしめ、所期の效果を發揮せんとす

二　方針について

一の(二)につき

要綱は條件の下限を明らかにしあり、勿論交渉に當りては、成るべく有利なる條件を取付くるに努むるも、最惡の場合には、この線に踏み止まらんとするものなり。然るに國內一部の方面に於ては、これらに關し反對の起ることなきを保し難し。然れども既に六月の經驗に徵するも、一度聖斷下らば、これを統一し得ることに確信を得たるを以て、この點特に木戸侯の力に期待するものなり

一の(三)につき

ソ連の仲介による交渉失敗せば、直接英米と交渉せんとする所以は、由來余はソ連の仲介を、必ずしも有利なりとは考えあらざるも、國內の情勢上敢て異見を立てざりしものなり。さればソ連との交渉に失敗せば、聖慮貫徹の必要上、直ちに英米との直接交渉に移らんことを、强く主張せんとす。故に聖斷を得ば、豫めこれがため必要の準備を整えたる上出發したし。而してその條件は概ね本要綱によるも、情勢によりては若干條件の低下を要することあるべし

三　條件について

(一)の(イ)

國體の解釋については、皇統を確保し天皇政治を行うを主眼とす。但し最悪の場合には御讓位も亦止むを得ざるべし。この場合に於ても、飽くまで自發の形式をとり、强要の形式を避くることに努む。これがための方法については、木戸侯において豫め研究して置かれたし

(一)の(ロ)

固有本土の解釋については、最下限沖繩、小笠原島、樺太を捨て、千島は南半部を保有する程度とすること

(二)の(イ)

若干法規の改正とは、止むを得ざれば憲法の改正以下、反民本的法令に及ぶこと

(二)の(ハ)

彼我協議の上一部の干渉とは、恐らく先方にはリストあるべきも、我國内事情に通ぜざるため誤りあるべきを以て、脱漏を補足する等の口實により協議を求め、これに該當せざるものは誠意を以て説明し、これを思い止まらしむる等のことをいう

(三)の(イ)

治安確保に必要なる兵力とは、戰後國内情勢に鑑み必要なる武裝せる軍隊の意にして、その名稱、所屬官衙等については、敢て名目上の主張をなさざる考えなり

(三)の(ロ)

若干を現地に殘留とは、老年次兵は歸國せしめ、弱年次兵は一時勞務に服せしむること、等を含むものとす

四　休戰と平和との關係について

(二)について

好意ある保障とは、例えば休戰條約の前文にその意味を插入するか、或は別に非公式文書に依る言明を取付くるか、或は會議議事錄にその意味を記錄する等、各種の方法あるべし　以上

近衛手記によると、一方で佐藤大使の方からは、條件は無條件降伏に近いものでなくては駄目だと言つて來るし、他方で陸軍の方はまだ敗けているのではないとて、急に又强硬論を吐くしするので、近衛はかつてルーズヴェルトとの會談の時に考えた樣に、現地から直接電報で御裁可を仰ぎ、決定調印するという非常手段を用いることに決心し

一、聖慮を奉戴し成し得る限り速やかに戦争を終結し以て我国民は勿論《もちろん》世界人類全般を迅速に戦禍より救出し御仁慈の精神を内外に徹底せしむることに全力を傾注す

天皇の意思により戦争を速やかに終結させたい、ということです。

二、これが為め内外の切迫せる情勢を広く達観し交渉条件の如きは前項方針の達成に重点を置き、難きを求めず悠久なる我国体を護持するを主眼とし細部に就いては他日の再起大勢に俟《ま》つの宏量《こうりょう》を以て交渉に臨むものとす

無理な要求は行なわず、とにかく天皇制を守ることを主眼として、細部で譲ったところはいずれ日本が再起する時に取り返せばよいという大きな気持で交渉に臨むこと、という意味です。

続く「二、条件」のところには、「国体の護持は絶対であって一歩も譲らぬこと」とあったうえで、「国土に就ては成るべく他日の再起に便なることに努むるも止むを得ざれば固有本土を以て満足す」とあります。領土に関しては将来再起する時に便利であるようにできるだけ守るけれども、やむを得ない場合は「固有本土」だけを確保できればよい、というのです。では、「固有本土」とは何でしょうか。今日の日本政府がよく使う「我が国固有の領土」ではありません。「固有本土」という耳慣れない表現です。

「要綱」ではこれを次のように説明しています。「固有本土の解釈については、最下限、沖縄、小笠原《おがさわら》、樺太《からふと》を捨て、千島は南半分を保有する程度とする」。つまり、「固有」の「本土」をどうしても守らなければならないときには、「沖縄、小笠原、樺太」と「千島《ちしま》」の北半分は「捨て」てもよい、というのです。大日本帝国が最大の危機に直面したときに、どうしても守らなければならない「固有本土」のなかに沖縄は入っていなかった、ということです。ここで先に見た「分島・増約」問題が思い出されます。沖縄が

「固有本土」に入っていないのだとすれば、明治政府が宮古・八重山諸島を清に譲ることを認めたことも理解できそうです。

戦前・戦中の日本では、国土のことを天皇の土地という意味で「皇土」とも言いました。沖縄には日本に併合されるまでは琉球国王がいて、天皇制はなかったわけですから、「固有本土」が「皇土」と重なるとすれば、沖縄をその外部と見て、いざとなれば捨ててもよいと考えたとしても不思議はないことになるでしょう。一方、日本人が本格的に入植する前は「アイヌモシリ」（アイヌの土地）と言われた北海道は、近衛要綱では「固有本土」に入っていたことになります。

沖縄戦の後、惨憺《さんたん》たる地上戦を生き延びた人びとは多くが家を失い、米軍の収容所に入れられて命をつなぐことになりました。米軍は占領軍として沖縄を支配しますが、講和条約（平和条約）が締結されて戦争状態が正式に終了すれば占領は終わり、占領軍は撤退しなければならないのが国際法上の原則です。ところが、日本と連合国との講和条約（サンフランシスコ講和条約）が結ばれ、発効しても、米軍は撤退しませんでした。本土では講和条約と同時に結ばれた日米安全保障条約によって米軍の日本駐留が合法化されますが、沖縄は講和条約第三条によって日本から切り離され、米国の施政権下に入り、事実上、米軍の支配下に置かれることになったのです。

天皇メッセージ

日本がアジア太平洋戦争に敗北し、連合国軍（実態は米軍）の占領下にある間、日米の重要人物二人が、その後の沖縄の運命にかかわる注目すべき発言を残していました。

ひとつは昭和天皇のいわゆる「天皇メッセージ」（図5）です。これは一九七八年に国際政治学者の進藤栄一さんがアメリカの国立公文書館で発見し、日本に紹介したものです。アメリカでは外交関係文書も原則として三〇年経つと機密指定を解除されて一般に公開されます。天皇メッセージは一九四七年九月の文書ですから、一九七八年にはコンフィデンシャル（機密指定）ではなくなり見ることができるようになっていたのです。

文書は「琉球諸島の将来に関する天皇の見解」というタイトルで、昭和天皇の通訳であった寺崎英成《てらさきひでなり》がシーボルトという人物を介して、連合国軍最高司令官であるマッカーサー元帥に天皇の意向を伝えるという形をとっています。それは次のような内容でした。

「寺崎氏は、米国が沖縄およびその他の琉球諸島の軍事占領を継続するよう天皇が希望している、と言明した。天皇の意見では、そのような占領は米国の利益になり、また日本を守ることにもなる。天皇が思うには、そのような措置は、ロシアの脅威を恐れているばかりでなく、占領終結後に右翼および左翼勢力が台頭し、そうした勢力によって、ロシアが日本に内政干渉する根拠に利用できるような「事件」が引き起こされることをも恐れている日本国民のあいだで、広範な承認が得られるであろう。

さらに天皇は、沖縄（および必要とされる他の諸島）に対する米国の軍事占領は、日本に主権を残したままでの長期租借――二五年ないし五〇年ないしそれ以上の――という擬制に基づいてなされるべきだと考えている」。

つまり、昭和天皇は、沖縄を占領している米軍がそのまま「軍事占領」を続けてほしい、しかも「二五年ないし五〇年ないしそれ以上」という驚くべき長期にわたってそう

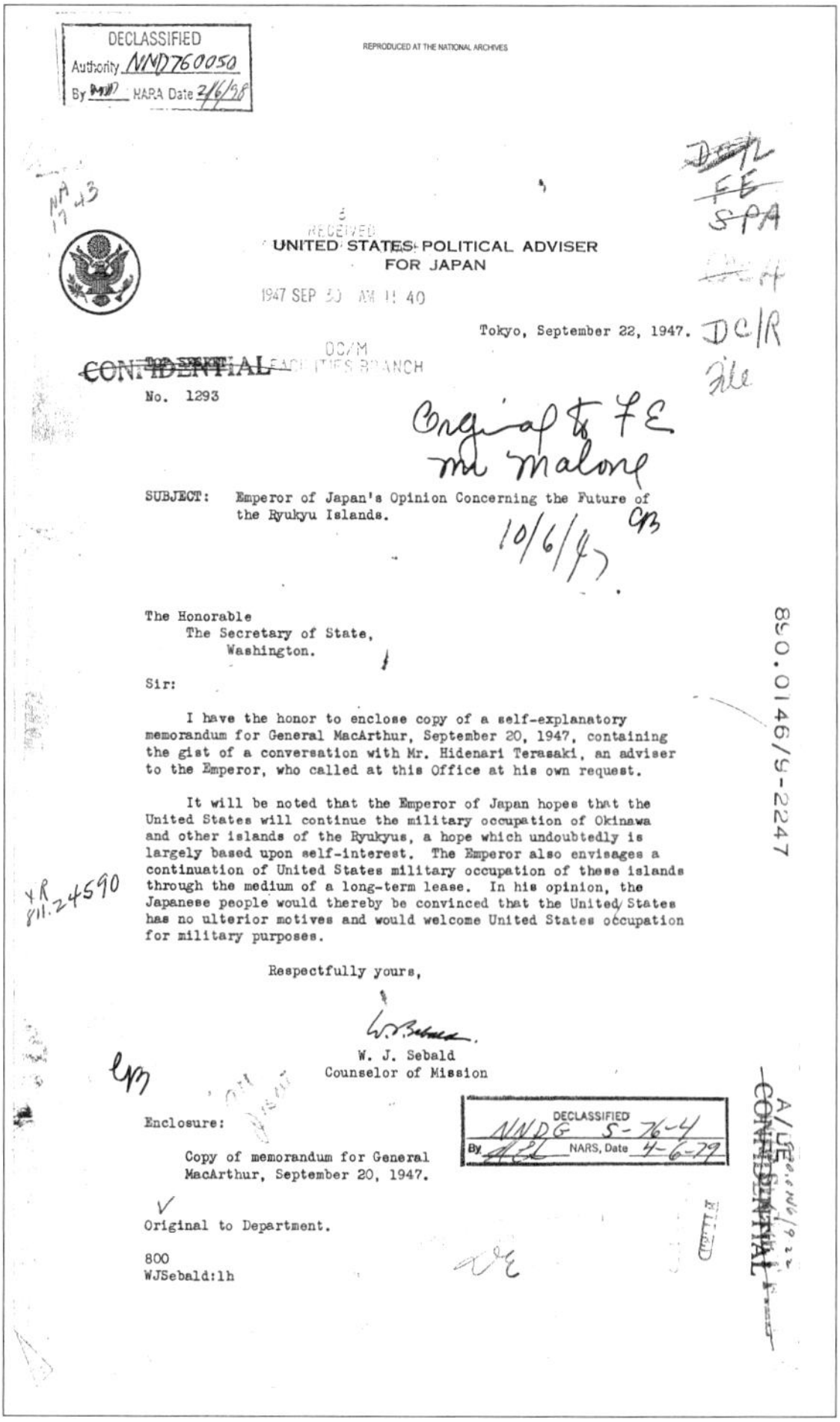

DECLASSIFIED
Authority NND760050
By NARA Date 2/6/98

REPRODUCED AT THE NATIONAL ARCHIVES

RECEIVED
UNITED STATES POLITICAL ADVISER
FOR JAPAN
1947 SEP 30 AM 11 40

Tokyo, September 22, 1947.

CONFIDENTIAL

No. 1293

SUBJECT: Emperor of Japan's Opinion Concerning the Future of the Ryukyu Islands.

The Honorable
The Secretary of State,
Washington.

Sir:

I have the honor to enclose copy of a self-explanatory memorandum for General MacArthur, September 20, 1947, containing the gist of a conversation with Mr. Hidenari Terasaki, an adviser to the Emperor, who called at this Office at his own request.

It will be noted that the Emperor of Japan hopes that the United States will continue the military occupation of Okinawa and other islands of the Ryukyus, a hope which undoubtedly is largely based upon self-interest. The Emperor also envisages a continuation of United States military occupation of these islands through the medium of a long-term lease. In his opinion, the Japanese people would thereby be convinced that the United States has no ulterior motives and would welcome United States occupation for military purposes.

Respectfully yours,

W. J. Sebald
Counselor of Mission

Enclosure:

Copy of memorandum for General MacArthur, September 20, 1947.

Original to Department.

800
WJSebald:lh

DECLASSIFIED
NNDG 5-76-4
By NARS, Date 4-6-79

890.0146/9-2247

図5　天皇メッセージ（沖縄県公文書館提供）

してほしいと願っていた、そのことを占領軍トップのマッカーサー元帥にお願いしていた、ということです。そして、それは「日本に主権を残したままでの長期租借」、言いかえれば、主権を回復した日本の領土の一部を借りるという「擬制」すなわちフィクションの形をとるのが望ましい（しかし事実上は「軍事占領」である）と。では、なぜ沖縄はそんな目に遭わなければならないのか。それは「米国の利益」のためであり、かつ「日本を守る」ためである、というわけです。

当時の天皇にとって「日本を守る」（protection for Japan）ということは、たしかに切実な課題ではあったでしょう。天皇の軍隊すなわち「皇軍」と呼ばれた日本軍があった間は、天皇や天皇制を守る最後の砦《とりで》は日本軍でした。ところが日本軍は敗戦によって解体されます。そして一九四七年五月三日に施行された日本国憲法は、第九条で「陸海空軍その他の戦力はこれを保持しない」と定めていますから、当面は――少なくともこの条文を改定しない限り――再軍備はできない。とすれば、軍事的に丸裸になってしまった日本そして何よりも天皇制をどうすれば守っていけるのか。天皇としては、もはや米軍に頼るしかないと考えたとしても決して不思議ではないでしょう。ただし、占領後も本土にずっと米軍がいるのは困る。そこで「沖縄にいてもらえば」と考えたのではないか、ということです。

このようなメッセージを天皇が占領軍トップに伝えることが政治的行為であることは明白です。日本国憲法下で象徴天皇となり、政治的行為ができなくなったはずの天皇が重大な憲法違反を犯してしまったとも言えそうです。マッカーサーが日本に乗り込んできてから会見を重ね、近しい関係を築いていたことも、こうした思い切ったメッセージを出させた要因だったかもしれません。

沖縄がその後、今日に至るまで米軍基地集中に苦しんできたことは言うまでもありません。まるで昭和天皇の「希望」を実現するかのように、「二五年ないし五〇年ないしそれ以上」にわたって米軍は沖縄に居座り続けているのです。沖縄を犠牲にして日本の安全保障を図るという戦後日本の体制は、天皇メッセージにその原型が見て取れると言えるでしょう。

マッカーサー発言

もうひとりの重要人物は、天皇メッセージの宛名人であったマッカーサー元帥その人です。

日本国憲法第九条は戦争放棄と戦力（軍事力）の不保持を定めていますが、それはもともとマッカーサーが日本の民主化の柱として考えた新たな憲法の三原則のうちの一つでした。三原則を記した「マッカーサー・ノート」では、九条のもとになった部分はこう書かれています。

国権の発動たる戦争は、廃止する。日本は、紛争解決のための手段としての戦争、さらに自己の安全を保持するための手段としての戦争をも、放棄する。日本はその防衛と保護を、今や世界を動かしつつある崇高な理想に委ねる。
日本が陸海空軍をもつ権能は、将来も与えられることはなく、交戦権が日本軍に与えられることもない。

第一パラグラフが九条の第一項、第二パラグラフが第二項のもとになったことが分かります。「日本はその防衛と保護を、今や世界を動かしつつある崇高な理想に委ねる」とあるように、マッカーサーは少なくとも朝鮮戦争までは、九条の戦争放棄と軍備の否定を理想化して語っていました。当時、連合国（ユナイテッド・ネイションズ）は国際連合（ユナイテッド・ネイションズ）を形成し、これからは世界の平和を国連の集団安全保障体制が保証していくのだという機運が高まっていました。東西冷戦が始まりつつあるなかで、本当に実現するのかかなり疑問ではあったとしても、やがて国連軍ができて世界の警察のような役割を果たすことで、国家の軍隊が廃止されるといった理想が語られた時代でもありました。マッカーサーは戦勝国の司令官ですから、敗戦国の日本が二度と軍事的な脅威にならないように憲法で軍備を禁止するのがアメリカにとって国益にかなうと考えていたに違いありませんが、しかし九条の非武装平和主義を理想として語る面があったことも事実なのです。

他方、アメリカ本国では、国務省や国防総省がソ連の脅威が増大しつつあることを懸念していました。ソ連を中心とする社会主義圏とアメリカを中心とする自由主義圏とがイデオロギーによって真っ向から対立する東西冷戦の時代が始まり、日本はその構図のなかで、アメリカから見るとソ連に対して最前線に位置しています。そこでアメリカは日本に国務省・国防省の高官を派遣して、マッカーサーに対して日本再軍備の可能性を打診してくるのです。マッカーサーはどうしたか。再軍備は必要ない、沖縄を米軍基地化することで日本の非武装は維持できる、と答えたのです。

マッカーサーの発言記録はアメリカ国務省のHPで見ることができます（図6）。明《あけ》田川融《たがわとおる》さんの日本語訳は次の通りです（『沖縄基地問題の歴史』みすず書房）。

（1）「沖縄からであれば、アジア北部のいかなる港湾も容易に制圧できる」。「沖縄に十分な軍事力があれば、アジア大陸からの陸海軍の発進を阻止する目的のために日本本土を必要としない」。

（2）「もしわれわれが外部攻撃から日本の領土を防衛しようと思うのであれば、陸軍や海軍よりも、第一に空軍を頼みとしなければならない。沖縄に十分な空軍力を常駐させておけば、日本を外部攻撃から守ることができる」。

（3）「沖縄を適切に開発し、沖縄に軍隊を駐屯させることで、われわれは日本本土には軍隊を維持する必要なしに、外部侵略に対して日本の安全を確保することができる。……占領軍を維持できるのはもっぱら講和条約までとすべきである。こうした考慮に照らせば、今こそ米国は沖縄にとどまる決定を下すべきであり、恒久的な駐屯のために必要となる建設のための十分な費用を直ちに注ぎ込むべきである」。

マッカーサーは、日本を外部侵略から防衛するためには沖縄にアメリカの「十分な空軍力」を「常駐」させればよいのであって、日本本土には軍隊は必要ないと明言しています。そして、日本との間に正式に講和条約が締結されれば占領軍は撤退しなければならないので、その前に、沖縄に「恒久的な駐屯」ができるようにするための決定を下す必要があると、本国に対応を促しているのです。

ここから分かるのは、日本が占領下にある時期、占領軍トップのマッカーサーと昭和天皇が、憲法九条で非武装国家となった日本の防衛のために、沖縄を米軍の軍事要塞にする必要があるという点で意見が一致していたことです。沖縄が「平和憲法」とセットで本土防衛のために犠牲にされるという構造が、ここにあることは否定できないでしょう。そしてこの構造は、日米が講和条約を結んで占領が終結してからも、今日まで一瞬も途切れることなく続くことになるのです。

一九五一年九月八日に締結された日本と連合国（ソ連を除く自由主義陣営）とのサンフランシスコ講和条約は、その第三条で次のように定めています。

(1) From Okinawa he could easily control every one of the ports of northern Asia.
With adequate force at Okinawa, we would not require the Japanese home islands for the purpose of preventing the projection of amphibious power from the Asiatic mainland.

(2) General MacArthur here pointed out that if we wish to defend Japanese territory from external aggression we must depend primarily upon Air power rather than upon an Army and Navy. He said that with adequate Air power based upon Okinawa, we could protect Japan from outside attack.

(3) He said, therefore, that by properly developing and garrisoning Okinawa we can assure the safety of Japan against external aggression without the need for maintaining forces on Japanese soil. He emphasized again, that we should retain these occupation forces until the peace treaty only,......MacArthur strongly urged that in the light of these considerations, the U.S. reach a decision now to remain in Okinawa and that we devote adequate funds at once to the necessary construction for a permanent garrison.

図6　マッカーサーの発言記録、P.701-710より抜粋。
Foreign Relations of the United States, 1948, Volume VI: The Far East and Australasia, Washington, D. C.: United States Government Printing Office, 1974

日本国は、北緯二十九度以南の南西諸島（琉球諸島及び大東諸島を含む。）孀婦岩《そうふがん》の南の南方諸島（小笠原群島、西之島及び火山列島を含む。）並びに沖の鳥島及び南鳥島を合衆国を唯一の施政権者とする信託統治制度の下におくこととする国際連合に対する合衆国のいかなる提案にも同意する。このような提案が行われ且つ可決されるまで、合衆国は、領水を含むこれらの諸島の領域及び住民に対して、行政、立法及び司法上の権力の全部及び一部を行使する権利を有するものとする。

分かりにくい文章ですが、沖縄（ここでは「琉球諸島」ないし「南西諸島」）については要するに、（1）いずれアメリカが沖縄を信託統治するという提案を国連に行なう、（2）その提案がなされて承認されるまでは、アメリカが沖縄を統治する（「行政、立法及び司法上の権力の全部及び一部」すなわち「施政権」を行使する）ということです。「信託統治」とは、自力では国家運営できない地域の統治を国連が大国に委ねる制度で、第一次世界大戦後の国際連盟の時代は「委任統治」と呼ばれ、日本も南洋群島を委任統治領にしていました。いずれは独立が認められる植民地のような存在です。しかしこの時、アメリカが将来、本当に沖縄の信託統治の提案をするつもりがあったのか疑問なしとしません。昭和天皇が望んだように、占領が終わっても沖縄の軍事占領を当面続けたいので、そのための理屈を作り出したというのが実際のところでしょう。

一九五二年四月二八日、サンフランシスコ講和条約が施行され、沖縄は日本から切り離されて事実上米軍支配下に置かれます。日本が主権を回復して国際社会に復帰するのと引き換えに、沖縄はアメリカにまるで「質草」のように差し出されたとして、沖縄ではこの日は「屈辱の日」として記憶されることになりました。沖縄戦に続き、再び日本の利益のために「捨て」られたのではないかという意識です。それから六〇年余り後、二〇一三年四月二八日に、安倍政権は東京で政府主催の「主権回復・国際社会復帰を記念する式典」を行ないましたが、この日が沖縄にとってもつ意味を完全に無視するかのような政府の態度に、強い反発が沸き起こったのも当然です。

第二章　構造的差別とは何か

一　沖縄戦後に「戦後」は来たか

沖縄に「戦後」は来たか

沖縄の作家で芥川賞《あくたがわ》を受賞した目取真俊《めどるましゅん》さんに、『沖縄「戦後」ゼロ年』（二〇〇五年）という著書があります。二〇〇五年といえば日本の敗戦からちょうど六〇年。日本本土の常識では「戦後六〇年」に当たります。ところが目取真さんは、沖縄では「戦後」はまだ始まってもいない、沖縄は「戦後ゼロ年」だ、と言ったのです。その趣旨は、沖縄にはいまだに広大な米軍基地があり、昭和天皇が望んだように、まるで米軍に軍事占領されているような状態が続いているということ、その結果、米軍関係の事件や事故が頻繁に起こっているだけでなく、アメリカが起こす戦争とともに戦時下にあるような緊張状態に置かれるということでしょう。本土で語られる「戦後日本の平和」のなかで、沖縄だけはまったくの例外だったと言わざるをえないのです。

前章で触れたように、一九五二年四月二八日、サンフランシスコ講和条約が発効し、日本が主権を回復して国際社会に復帰する一方で、沖縄は日本から切り離され米国の施政権下に置かれました。米国は住民の自治組織として琉球《りゅうきゅう》政府を設立しますが、その上には琉球列島米国民政府があり、琉球政府の決定は容易に民政府によって覆されてしまうので、自治と言ってもきわめて制限されたものでした。そして民政府（civil government）といっても、そのトップの長官や高等弁務官には例外なく米軍のトップが就いたので、沖縄は事実上、米軍の支配下に置かれることになったのです。

一九五〇年に始まった朝鮮戦争は米軍の出撃基地としての沖縄の重要性を再認識させました（一九五三年の休戦協定後、朝鮮戦争は現在も終結していません）。沖縄戦時から日本軍の基地を接収して基地にしていた米軍は、一九五〇年代にはいわゆる「銃剣とブルドーザー」によって基地を拡大していきます。沖縄島各地や伊江島《いえじま》で「土地収用令」を発し、武装した兵士が乗り込んで強制的に土地を接収、ブルドーザーで基地を建設したり拡大したりしていったのです。

米軍による事故や米軍兵士による犯罪をはじめ、おびただしい数の人権侵害が発生しました。たとえば「由美子ちゃん事件」（一九五五年九月三日）。当時六歳の女児、永山由美子さんが米軍嘉手納《かでな》基地所属の軍曹に誘拐、レイプされ、殺害されるという悲惨な事件で、沖縄の人びとに衝撃を与えました。あるいは宮森小学校米軍機墜落事故（一九五九年六月三〇日）。米軍の軍用機が操縦不能になり、石川市（現うるま市）の宮森小学校の校舎に墜落して、生徒一一人と住民六人が死亡、重軽傷者二一〇人を出し、三〇棟以上の建物が全半焼したという事件です。こうした米軍関係の事件や事故が頻発し、その捜査や賠償等も米国統治下のためうやむやにされ、闇に葬られたものも多かったのです。

米軍への抵抗と「復帰」運動

もちろん沖縄の人たちも黙っていたわけではありません。離島のひとつ伊江島の農民であった阿《あ》波根《はごん》昌鴻《しょうこう》さんの闘いは有名です。農民にとって命にも等しい土地を不当に強奪しようとする米軍に対して、徹底した非暴力の抵抗運動を組織し、粘り強く抗議を続けました。伊江島の窮状を沖縄島の人びとにも知ってもらおうと二〇人余りで各地を回る「乞食運動」を実践し、米軍の非道に対する認識を沖縄全体に広げる大きな力となりました。

一九五四年、米国民政府が接収した土地代の一〇年一括払い方針を打ち出すと、それは土地の買い上げにも等しいと反対論が噴出し、琉球政府は「土地を守る四原則」（一括払い拒否、適正補償、損害賠償、新規接収拒否）を掲げて米国政府との交渉に乗り出します。沖縄全土のほとんどの自治体を巻き込み、二〇万人とも言われる住民が反対運動に参加した「島ぐるみ闘争」が起きたのです。その結果、一括払い案は撤回され毎月の支払いで合意するなど、住民運動が米国側の政策を一部変更させることに成功しました。

沖縄戦で何もかもが破壊された跡から出発して、強大な米軍相手に自分たちの人間としての権利を認めさせてきた沖縄の人びとの不屈の力には感嘆するほかありません。

とはいえ、強大な米軍の支配を覆すのは容易ではありません。高等弁務官ポール・キャラウェイの「沖縄の自治は神話である」という発言は、沖縄の人びとの自治権拡大の熱望に冷や水を浴びせた言葉として、今日でもしばしば引用されます。米軍の絶対権力の下で困難な日々を送るなかで、現状を「異民族支配」と捉え、そこから抜け出して日本に復帰しようとする動きが強まっていきます。これがいわゆる「復帰運動」になっていくのです。

沖縄戦で日米両軍から惨憺《さんたん》たる目に遭わされた人々は、戦争や軍隊から解放されたいという強い思いをもって当然です。そこから沖縄の人びとは、いっさいの戦争を放棄し、戦力（軍隊）をもたないことを定めた日本国憲法に憧れを抱くようになったと言われます。平和憲法をもつ日本に復帰することで、米軍や基地から解放されることを願ったのです。

日米安全保障条約とは

二〇一三年四月二八日、当時の安倍晋三《あべしんぞう》政権は「主権回復の日」を記念した式典を行ないました。先述のように、四月二八日は一九五二年のこの日、サンフランシスコ講和条約が発効して、日本が敗戦後の占領から脱し、主権国家として国際社会に復帰した日でした。しかし、この日を「国民の祝日」のように全国を挙げて祝賀することに対しては批判が噴出しました。戦後七〇年近く経っているのに、なぜ今さら主権回復を祝うのか、という素朴な疑問だけではありません。とくに沖縄からは、その日こそ講和条約第三条によって沖縄が日本からアメリカに、つまり米軍支配下に引き渡された「屈辱の日」であったことが喚起されたのです。四・二八を主権回復の日として祝うことは、再び沖縄の人びとの意思を無視し、沖縄を日本から排除する「第二の屈辱」だと受け止めた人もいました。

「主権回復の日」への疑問は、もう一つあります。サンフランシスコ講和条約の発効と同時に、日米安全保障条約（以下、日米安保条約）も発効しました。日米安保条約は講和条約と同日、一九五一年九月八日に、同じサンフランシスコで締結された条約です。安保条約とセットで日米行政協定も締結され、発効しました。安保条約と行政協定とのセットで作られた「日米安保体制」は、実はさまざまな意味で日本の主権を制限するものでした。

日本に米軍基地があるのは日米安保条約に定められているからです。そのことは知っていても、日米安保条約を読んだことのある人は少ないでしょう。まずは、サンフランシスコ講和条約と同時に発効した安保条約の要点を見てみましょう。前文と第一条を掲げます。

〔前文〕

日本国は、本日連合国との平和条約に署名した。日本国は、武装を解除されているので、平和条約の効力発生の時において固有の自衛権を行使する有効な手段をもたない。
無責任な軍国主義がまだ世界から駆逐されていないので、前記の状態にある日本国には危険がある。よって、日本国は、平和条約が日本国とアメリカ合衆国の間に効力を生ずるのと同時に効力を生ずべきアメリカ合衆国との安全保障条約を希望する。

平和条約は、日本国が主権国として集団的安全保障取極を締結する権利を有することを承認し、さらに、国際連合憲章は、すべての国が個別的及び集団的自衛の固有の権利を有することを承認している。

これらの権利の行使として、日本国は、その防衛のための暫定措置として、日本国に対する武力攻撃を阻止するため日本国内及びその附近にアメリカ合衆国がその軍隊を維持することを希望する。

アメリカ合衆国は、平和と安全のために、現在、若干の自国軍隊を日本国内及びその附近に維持する意思がある。但し、アメリカ合衆国は、日本国が、攻撃的な脅威となり又は国際連合憲章の目的及び原則に従って平和と安全を増進すること以外に用いられうべき軍備をもつことを常に避けつつ、直接及び間接の侵略に対する自国の防衛のため漸増的に自ら責任を負うことを期待する。

よって、両国は、次のとおり協定した。

第一条

平和条約及びこの条約の効力発生と同時に、アメリカ合衆国の陸軍、空軍及び海軍を日本国内及びその附近に配備する権利を、日本国は、許与し、アメリカ合衆国は、これを受諾する。この軍隊は、極東における国際の平和と安全の維持に寄与し、並びに、一又は二以上の外部の国による教唆又は干渉によつて引き起された日本国における大規模の内乱及び騒じようを鎮圧するため日本国政府の明示の要請に応じて与えられる援助を含めて、外部からの武力攻撃に対する日本国の安全に寄与するために使用することができる。

つまり、こういうことです。サンフランシスコ講和条約の発効で日本国は主権を回復するけれども、敗戦によって日本軍は武装解除され、日本国憲法第9条第2項（戦力の不保持）によって再軍備も禁じられている。しかし、世界にはまだ「無責任な軍国主義」が残っているので、丸腰のような現状では危険きわまりない。そこで日本国は、国家として有する固有の自衛権を行使するために、自分から米国に対して日本を守る軍隊を日本に駐留させるように希望する。米国はその希望を容れて、陸海空軍を「日本国内及びその附近」に配備する権利を日本から受諾する。

先に見たように、昭和天皇とマッカーサーは沖縄を米軍の軍事要塞化することで日本本土を防衛しようと考えましたが、日米安保条約によって日本本土にも米軍基地が置かれることになったのです。自衛手段をもたない日本が米国にお願いして米軍に駐留してもらう形になっていますが、米国からすれば、ソ連や中国など共産圏との対立が深まり朝鮮戦争が続くなかで、「極東における国際の平和と安全の維持に寄与」するとして、日本全体を軍事拠点として利用できるようになるという大きなメリットがありました。

こうして出発した日米安保体制でしたが、現在の日米安保条約は、講和条約と同時に発効したこの条約と同じではありません。この条約は駐留米軍の日本防衛「義務」を明確に定めているわけではないので、その点を明示することを主な目的として、一九六〇年に新たな安保条約が結ばれます。当時の岸信介《きしのぶすけ》首相がめざしたこの「安保改定」に対して、日本を米国の戦争に巻き込むなどとして反対する「六〇年安保闘争」が高揚したことは有名ですが、新条約は成立し、日米行政協定を改定した日米地位協定とともに、以後現在までの日米安保体制を形成することになりました。

現在の安保条約の第五条と第六条を見てみましょう。

第五条

各締約国は、日本国の施政の下にある領域における、いずれか一方に対する武力攻撃が、自国の平和及び安全を危うくするものであることを認め、自国の憲法上の規定及び手続に従って共通の危険に対処するように行動することを宣言する。（以下略）

第六条

日本国の安全に寄与し、並びに極東における国際の平和及び安全の維持に寄与するため、アメリカ合衆国は、その陸軍、空軍及び海軍が日本国において施設及び区域を使用することを許される。（以下略）

この第五条で米国は、「日本国の施政の下にある領域」つまり日本の国内に日本に対する武力攻撃があった際、それを「自国の」つまり米国の「平和及び安全」に対する危険であると認めて、この「共通の危険に対処するように行動する」ことを約束したとされます。つまり米軍は日本の防衛にコミットすることを約束したというわけです。

では、この安保体制が日本の主権を制限することになったとは、どういうことでしょうか。それは、日米行政協定から日米地位協定まで一貫して、米軍とその基地にさまざまな特権を付与し、日本の国内法が及ばない一種治外法権的な存在にしていることによります。

米軍とその基地の治外法権的性格は、たとえば米軍の事故や米兵の犯罪に際して、日本の当局に完全な調査権や捜査権がないなどの不都合として顕在化します。この不都合は、基地が集中する沖縄では日常的に感じられる不条理ともいえます。日本政府はこのことをもっともよく知りながら、一向に不都合を解消しようとしません。その日本政府が二〇一三年、六〇年余り前に完全な主権回復がなされたかのように祝おうとしたことも、「主権回復の日」の虚構性を示していました。

二　基地の島・沖縄

「復帰」後も続く基地負担

一九七二年五月一五日、沖縄は日本に「復帰」しました。沖縄の施政権を米国から日本に返還する「沖縄返還協定」は、沖縄の人びとの望んだ「基地なき島」としての返還とはほど遠く、「復帰」と同時に沖縄を日米安保条約のもとに包摂し、当時の沖縄の基地のほとんどをそのまま残すものでした。沖縄の人びとは、日本国憲法下に入ることで少なくとも米軍基地が「本土並み」になることを願ったのですが、その願いも裏切られてしまうことになります。「平和憲法の日本」に復帰しようとしたのに、「日米安保体制の日本」に組み込まれ、米軍基地が新たに合法化されてしまう結果になったと言えるでしょう。

二〇二二年五月一五日は日本「復帰」五〇周年の節目の年でした。この年に報道各社が行なった沖縄県民の世論調査を見ると、「復帰」を肯定する意見がほぼ例外なく圧倒的多数を占めています。朝日新聞＋沖縄タイムス＋琉球朝日放送の合同調査では、「よかった」が八五％。毎日新聞＋琉球新報の合同調査では「良かった」が六五％、「どちらかといえば良かった」が二七％、合わせて九二％。NHKでは「とてもよかった」が三八・七％、「ある程度よかった」が四五・四％、合わせて八四・一％。読売新聞では「よかった」が五六％、「どちらかといえばよかった」が三四％、合わせて九〇％。共同通信では「よかったと思う」が九四％、といった具合です。

ところが、たとえば共同通信の県民調査では、復帰して「良かったと思う」が九四％に上る一方で、「復帰後の歩みに満足しているか」という問いに対しては「満足していない」が五五％で、「満足している」の四一％を上回りました。そして「満足していない」と答えた人の四〇％が「米軍基地の整理縮小が進んでいない」を理由に挙げたのです。「復帰」後、時が経っても米軍基地が一向に減らないことに対して、沖縄では徐々に不満が高まりました。基地が減らなければ事件や事故も起こりますし、それに対して抗議しても、米軍はもとより日本政府も真剣に向き合おうとしないことにいら立ちが募っていったのです。

今日まで続く状況のなかで大きな起点になったのは、一九九五年の米兵三人による少女暴行事件です。同年九月四日、米軍の海兵隊員二名と海軍兵士一名が一二歳の女子中学生を拉致し、集団でレイプして傷を負わせた事件が起きました。少女の人権を踏みにじった兵士への憤りもさることながら、それに加えて、容疑者三名を拘束した米軍が沖縄県警による引き渡し要求に応じなかったことで、沖縄の人びとの怒りが爆発しました。日米地位協定によれば、容疑者の身柄が米軍側にある場合、日本側が起訴するまでは米軍側が身柄を確保し続けることができるので、日本側は十分な捜査ができない状態に置かれてしまうのです。

こうして沖縄では、反基地、反米軍の機運が大いに高まりました。宜野湾《ぎのわん》市海浜公園で行なわれた抗議集会は「米軍人による暴行事件を糾弾し、地位協定の見直しを要求する沖縄県民総決起大会」となり、八万五〇〇〇人もの参加者が集まる復帰後最大規模の集会となりました。当時の大田《おおた》昌秀《まさひで》知事も、米軍用地の使用を可能とするため地主に代わって「代理署名」する業務を拒否するなどして抗議活動を行ない、沖縄の声は日米安保体制を揺るがすまでになったのです。

このとき、沖縄の反基地運動を何とか抑えようとして日米両政府が合意したのが、米軍普天間《ふてんま》飛行場の返還でした。沖縄県中部宜野湾市にある普天間飛行場は、米軍海兵隊が駐留している基地です。市街地の真っただ中にあるために、視察した米国ブッシュ政権時のラムズフェルド国防長官が「世界一危険な基地」と認めたことでもよく知られています。その基地を返還することに日米両政府が合意したのです。当時の橋本龍太郎首相とモンデール駐日米国大使（元副大統領）が記者会見をして発表しました。沖縄の人たちがこれを歓迎したことは言うまでもありません。

ところが、この返還には代替施設を日本が提供するという条件がついていたことが後に明らかになります。普天間飛行場に代わる基地を提供すれば普天間飛行場を返還するという合意だったのです。さらに、その代替施設の候補地として沖縄県内の名護市辺野《への》古《こ》地区の名前が出てきます。最初は比較的小規模なヘリポートを造るという話でしたが、次第に大きくなって、軍艦が停泊できるような本格的な基地を建設するという話になってしまいます。それができなければ普天間飛行場は返還できないというわけです。ここから、その後二〇年以上にわたり沖縄の基地問題を象徴する「辺野古新基地建設問題」が始まるのです。

沖縄の人びとが反発したのは、なぜ普天間飛行場の代わりの施設を同じ沖縄県内に作らなければいけないのかという点です。基地の「県内たらい回し」という表現がよく使われます。沖縄は戦後ずっと過重な基地負担、基地の集中に苦しんできたのに、どうしてまた同じ沖縄のなかに代替施設を作らなければいけないのか、という批判です。

沖縄への基地集中とその経緯

在日米軍基地がいかに沖縄に集中しているかを見ておきましょう。「沖縄のなかに基地があるというより基地のなかに沖縄がある」とまで言われるのはどういうことか。

沖縄が米国統治下に入ってほどない一九五〇年代の半ば、本土と沖縄の米軍基地の割合は、本土が八九％で沖縄が一一％でした。これだけでもすでに沖縄の負担率は高いと言わざるをえません。沖縄県の面積は全国の〇・六％、人口は一％ですから、それを物差しにするなら沖縄の基地も全国の一％ぐらいでないと釣り合いがとれません。それを一〇％も超えているのです。四七都道府県に仮にほぼ均等に割り当てるとしたら、四七分の一は約二・一％ですから、一一％はやはり大きい。ただ、それでもまだ、本土と沖縄を比べれば本土のほうが多かったのです（図7）。

ところが、一九七二年の「復帰」の頃には、本土が四一・三％で沖縄は五八・七％になります。沖縄だけで本土全体を上回るようになるのです。なぜでしょうか。

一九五〇年代、朝鮮戦争が起きて在日米軍の活動が拡大すると、事件や事故の多発を受けて本土各地で反基地運動が活発化します。基地の運用が困難になったり反米運動に発展したりすることへの懸念から、日米両政府は本土の米軍基地を整理縮小する方向に進みます。ところが、そうして本土を去った米軍の一部が今度は沖縄に移っていくことになったのです。本土の米軍基地が大幅に縮小し、その一部が沖縄に移転することによって、本土と沖縄の基地負担率は逆転し、「復帰」の頃には沖縄はすでに全国の六割近くを負担することになっていたのです。

沖縄の米軍の大きな部分を占めているのは海兵隊です。海兵隊は沖縄戦のときに沖縄に上陸し、終戦と同時に引き揚げたものの、朝鮮戦争の休戦後、韓国駐留米軍の後方支援のために、一九五〇年代中期以降、日本に来ました。富士山麓のキャンプ富士と岐阜県各務原《かかみがはら》の二カ所に司令部を置き、全国に分散駐留する形でした。この海兵隊が一九五〇年代後半に沖縄に移転したのです。本土での反基地運動激化を懸念した日米両政府からすれば、米軍の直接支配下にある沖縄に移せば本土での運動は沈静化し、沖縄での反対は容易に抑えられると考えたとしても不思議はありません。当時、海兵隊が沖縄に移ることについて本土で反対運動は起きませんでした。その後、一九七〇年代にも海兵隊の部隊が本土から沖縄に移っていますが、沖縄の反対の声を無視して移転は実行されま

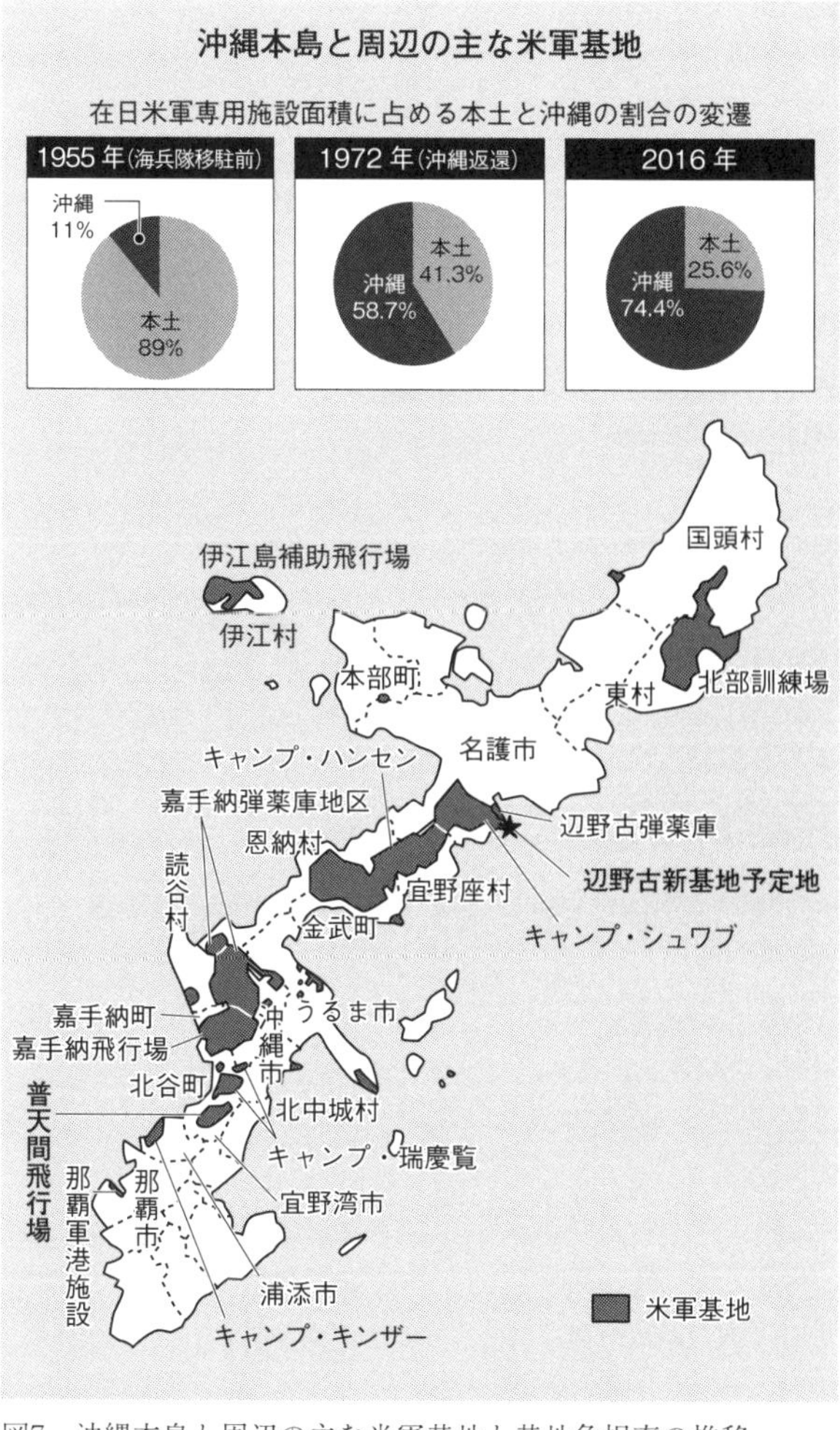

図7　沖縄本島と周辺の主な米軍基地と基地負担率の推移
出典：「沖縄タイムス」2016年6月18日より

した。

本土の米軍基地は次第に縮小されていったのに対して、沖縄には逆に基地が集中し、固定されていく。それによって、本土と沖縄の基地の負担率が激変していきます。日本「復帰」当時五八・七％になっていた沖縄の負担率はまもなく七〇％を超え、二〇一六年には七四％に達します。日本に「復帰」すれば基地負担が軽減されるのではないかという沖縄の人びとの期待に反して、全国の七割以上が集中する状況が固定化し、今日まで何十年も続いているのです。

防衛省は毎年都道府県別の米軍基地（米軍専用施設）面積割合を公表しています。二〇二三年のデータは表にある通りです（図8）。沖縄は約七〇・三％。沖縄県に次ぐ割合を占めているのは約九％の青森県。米空軍三沢基地です。神奈川県は厚木基地や横須賀基地、キャンプ座間などがあり、約五・六％です。東京にも横田基地があり、約五％。山口県は岩国基地で約三・三％、長崎県は佐世保基地で約一・七％。逆に、〇・〇〇％つまり事実上ゼロの府県が三四もあります。本土の三四府県にはまったくない米軍基地

都道府県名	面積（千㎡）	全体面積に占める割合（%）
北海道	4,274	1.63
青森県	23,744	9.04
岩手県	0	0
宮城県	0	0
秋田県	0	0
山形県	0	0
福島県	0	0
茨城県	0	0
栃木県	0	0
群馬県	0	0
埼玉県	2,036	0.78
千葉県	2,095	0.80
東京都	13,176	5.02
神奈川県	14,730	5.61
新潟県	0	0
富山県	0	0
石川県	0	0
福井県	0	0
山梨県	0	0
長野県	0	0
岐阜県	0	0
静岡県	1,205	0.46
愛知県	0	0
三重県	0	0
滋賀県	0	0
京都府	36	0.01
大阪府	0	0
兵庫県	0	0
奈良県	0	0
和歌山県	0	0
鳥取県	0	0
島根県	0	0
岡山県	0	0
広島県	3,536	1.35
山口県	8,672	3.30
徳島県	0	0
香川県	0	0
愛媛県	0	0
高知県	0	0
福岡県	23	0.01
佐賀県	0	0
長崎県	4,557	1.74
熊本県	0	0
大分県	0	0
宮崎県	0	0
鹿児島県	0	0
沖縄県	184,525	70.27
合計	262,610	100

図8　在日米軍施設・区域（専用施設）都道府県別面積（2023年1月1日）
＊日米地位協定第2条第1項(a)に基づき、米軍が使用している施設・区域（米側が管理。同協定第2条第4項(a)に基づき、自衛隊等も使用するものを含む）の面積

が沖縄県だけに七〇%以上も集中しているのです。これがどれほど異常であるか。

沖縄に全国の米軍基地の七割以上が集中していると言うと、「いや、それは『米軍専用施設』に限っての数字であって、自衛隊との『共同利用施設』を含めると沖縄は約二三%にすぎず、北海道が約三四%で最大なのだ。沖縄の基地負担を過剰に見せかけるプロパガンダだ」といった「反論」を見かけることがあります。これは誤解です。もしかすると、そうした「反論」の方が、沖縄の基地を過小に見せかけて現状を維持しようとする「プロパガンダ」かもしれません。

防衛省が「米軍専用施設」としているのは、米軍が管理する基地施設のことで、これには米軍のみが使用する施設(A)と、米軍施設ではあるが自衛隊が共同で使用する施設(B)が含まれます。沖縄の基地のほとんどは(A)に、横田や岩国など本土の主要基地は(B)に含まれ、(A)と(B)を合わせたすべての約七割以上が沖縄県にあるのです。他方、自衛隊の管理下にある自衛隊基地でも一時的に米軍が使用できる施設(C)があり、これを加えた(A)+(B)+(C)では、北海道が全国の約三四%で、約二三％の沖縄がこれに次ぐことになります。（C）のほとんどで米軍が使用する期間は年間三〇日以下、わずか一日から数日というところも少なくありません。何よりも（C）は管理権が自衛隊にあり、日本の国内法で運用されるのに対して、（A）と（B）は米軍の排他的管理権のもとにあり、日米地位協定で「治外法権」的に米軍の特権が認められている点に大きな違いがあります。防衛省が（A）と（B）を合わせて「米軍専用施設」としているのはこの違いのためであり、米軍基地負担率を「米軍専用施設」の割合で見るのには十分な理由があるわけです。もちろん、（A）＋（B）＋（C）で比べると沖縄県が約二三％だという数字も、狭小な沖縄一県の負担率として過剰であることは言うまでもありません。

ちなみに、「基地の問題は面積の問題ではなく、基地がもつ機能の問題であるから、面積で基地負担を云々《うんぬん》するのは意味がない」といった議論も一部に見られます。基地の機能が重要であることは言うを俟《ま》ちませんが、面積は民生用に使える土地がどれだけ軍事のために失われているかを表わしているので、それ自体、重要な指標です。また、面積ではなく機能で比べれば沖縄の負担は激減するのかといえば、そうでないことも明らかです。沖縄の基地負担はどの面から見ても突出しているのは明白で、〇・六％の面積、一％の人口の土地に全国の七割以上の米軍基地というのは、過剰負担を分かりやすく示す象徴的な数字になっているのです。

辺野古移設を望んだのは誰か

日米安保体制下の在日米軍基地が沖縄に集中しているといっても、それには当然、軍事的な理由があるのではないか、と思う人は多いでしょう。軍事的な合理性を考えた時に、本土に置いたのでは十分な機能を果たせず、どうしても沖縄に置かなければならない理由があるのではないか、と。

しかし、すでに指摘したように、かつて本土にいた米軍部隊が沖縄に移駐したのは必ずしも軍事的理由からではなく、本土での反対運動の広がりを抑えるといういわば政治的理由があったと考えられています。沖縄への基地集中は軍事的必要からというよりも政治的必要からであることは、日本の首相や防衛大臣クラスが公然と認めていることでもあります。

二〇一二年、森本敏《もりもとさとし》防衛大臣は記者会見で、沖縄の海兵隊は「西日本のどこか」であれば軍事的に機能するが、「政治的に許容できるところ」は沖縄しかない、と述べました。二〇一四年、中谷元《なかたにげん》氏が防衛大臣就任前に、沖縄の米軍基地は「分散しようと思えば九州でも分散できる」、「理解してくれる自治体があれば移転できる」が、「米軍反対とかいうところが多くて」できない、と述べました。二〇一八年には安倍晋三《あべしんぞう》首相が国会で沖縄の基地負担軽減が進まない理由を問われ、「日米間の調整が難航したり、移設先となる本土の理解が得られないなど、さまざまな事情で目に見える成果が出なかったのが事実だ」と答弁しました。内閣総理大臣自身が、沖縄の基地の「移設先」として本土がありうること、しかし「本土の理解が得られない」ため沖縄の基地負担軽減が進まないことを認めたのです。

日米安保体制下で沖縄の基地負担を解消するため、沖縄の米軍基地を本土のどこかに移設するという選択肢を、一般に「県外移設」と言います。日本政府は本土の住民の理解が得られないと言いますが、政府自身、「県外移設」にけっして積極的とは言えません。むしろ、「県外移設」の選択肢を斥《しりぞ》ける口実として、本土の無理解を利用しているとも考えられます。辺野古基地建設問題の淵源《えんげん》である普天間飛行場返還合意の際に働いたのも、実はこの「県外移設」をめぐる事情でした。

一九九五年の少女暴行事件を受けた日米両政府の交渉で、普天間飛行場返還の代替施設がなぜ辺野古になったのか。当時の大田昌秀知事は、なぜ沖縄だけに重い負担を負わせるのか、日米安保体制を維持したいのであれば、本土も「応分の負担」をすべきではないかと言って、「県外移設」の要求に言及していました。沖縄の負担が過重だから普天間飛行場を返還するというのだから、その代替施設が必要であるなら、それは本土に置かれるのが当然ではないか。なぜ、名護市辺野古にして沖縄県内を「たらい回し」にするのか。これは多くの沖縄の人びとが抱いた疑問であり、不満でした。

このことについて、当時、橋本龍太郎《はしもとりゅうたろう》首相とともに普天間基地返還合意を記者会見で発表したウォルター・モンデール元駐日大使は、二〇一五年のインタビューでこう証言しています。少女暴行事件の後、アメリカ側は沖縄の米軍の大幅削減や本土移設、撤退も含めて検討したが、日本政府がこれらを望まなかった。「普天間の撤退は代替施設を見つけるのが条件だった」が、「私たち（米国側）は沖縄、辺野古とは言っていない」。「基地をどこに配置するのかは日本政府が決めること」だから、「彼ら（日本政府）が別の場所に置くと決めれば、私たちの政府はそれを受け入れるだろう」（琉球新報、二〇一五年一一月九日付）。アメリカ副大統領も務めた人物の言葉を信じるなら、代替施設を本土ではなく沖縄県内に望んだのは日本政府の意思だったことになるでしょう。

日本側では、橋本内閣で沖縄問題を担当していた梶山静六《かじやませいろく》官房長官の言葉が残されています。梶山氏は、国土交通省の事務次官などとして沖縄の基地問題にかかわった官僚、下河辺淳《しもこうべあつし》氏に宛てた手紙で、普天間飛行場の代替施設を本土に置こうとすると必ず反対運動が起きるから、どうしても名護市に受け入れてもらうほかはない、と書いていたのです（毎日新聞、二〇一六年六月三日付）。

当時の交渉当事者であった日米双方の政治家の証言から浮かび上がるのは、普天間基地の「県外移設」を本土に説得する努力をする以前に、代替施設をまたしても沖縄に押しつけて事を済ませようとする日本政府の考え方です。

沖縄の負担軽減のためを謳《うた》った普天間飛行場の返還に沖縄県内への移設を条件とするという矛盾した政策に対して、政府と本土による基地の差別的な押しつけを察知した沖縄の人びとは、その後、長らく辺野古移設反対の民意を持続させることになります。そんななかで、沖縄の民意に応えようと普天間基地の「県外移設」を事実上の公約に掲げたのが二〇〇九年の総選挙での民主党・鳩山由紀夫《はとやまゆきお》代表でした。鳩山代表は選挙戦で普天間基地の移設について「最低でも県外」「できれば国外」をスローガンに掲げて闘い、勝利します。ところが、鳩山内閣は期限を区切っての「県外移設」先の候補地選定に苦慮し、挫折してしまったのです。挫折の理由として、民主党の準備不足や鳩山首相の政治手腕の欠如があったことは確かですが、いったん結んだ米国との合意を変えたくない外務省や防衛省の抵抗などで首相自身が孤立してしまうという異例の事態に陥ったとも指摘されています。鳩山首相は「県外移設」を撤回し、辺野古移設に回帰することを表明して、沖縄の人びとに大きな失望を味わわせることになりました。

二〇一二年末には自民党が政権に返り咲き、安倍晋三首相のもとで辺野古移設を強力に推進し始めます。沖縄出身の自民党議員たちに圧力をかけ「県外移設」の公約を変えさせた「平成の琉球処分」などで追い詰めていき、二〇一四年には辺野古の新基地工事に着手、翌年には本体工事を開始して今日に至っています。

経済的に依存しているという俗説

沖縄に過剰な基地負担を強いているのはよくないと言うと、沖縄は基地関連の職を得て生活している人が多いのだからよいのではないか、経済的に基地に依存している沖縄は基地がなくなったら困るのに基地になぜ反対するのか、などと言う人がいます。しかし、それは見当違いです。

沖縄戦で焦土となり家も財産も失った人が多かった「戦後」しばらくの時代。米軍の存在が沖縄の経済にも大きな比重を占め、「基地経済」とも呼ばれたことは事実です。しかし、沖縄県のデータによれば、沖縄県の経済のなかで米軍基地関連のものが占める割合は、「復帰」直後の一九七二年に一五・五％であったものの、二〇一五年には五・三％にまで縮小しています。基地に依存しているとはとても言えません。

沖縄県はむしろ、米軍基地の存在は沖縄経済発展の阻害要因になっているとさえ言っています。たとえば、二〇一五年に公表された県の試算によると、過去に返還された基地跡地の直接経済効果は、北谷《ちゃたん》町の桑江・北前地区で返還前の一〇八倍、那覇新都心地区で三二倍になっています。普天間飛行場が予定通り返還されれば、その直接経済効果は当時一二〇億円、返還後は三八六六億円で、雇用は当時の一〇七四人から三十二倍の三万四〇九三人に、税収は一四億円から三二倍の四三〇億円になるといいます。「沖縄の人たちは基地がなくなったら食べていけなくなって困るだろう」などというのは、誤った想像にすぎません。そもそも、基地がなくなれば沖縄経済が立ち行かなくなるというのが本当なら、なぜ沖縄の人びとは基地負担の軽減や基地の撤廃を求めるのでしょうか。

日米安保体制を支えているのは誰か

日米安保体制のもとで本土にもいくつか大きな米軍基地はありますが、面積にして七割以上もが小さな沖縄県に集中しています。ここで、日米安保体制を支えているのは誰か、という問いを立ててみましょう。

まず、日米安保条約の成立についてです。一九五一年九月、サンフランシスコで講和条約と旧安保条約が締結され、翌年四月に発効しましたが、この過程で沖縄の人びとの政治的意思は国政にまったく反映されていませんでした。敗戦後の一九四五年一二月一五日、占領下の帝国議会で衆議院議員選挙法改正法が成立し、その附則で沖縄県については「勅令を以て定むる迄《まで》は選挙はこれを行わず」として、沖縄県民の選挙権が停止されていたからです。一九六〇年に、旧安保条約の改定として現在の安保条約が成立する過程についても同じです。沖縄県で再び選挙が実施され、沖縄県選出の議員が国会に送り出されるには、「復帰」を控えた一九七〇年一一月、「国政参加選挙」が実施されるのを待たなければならなかったのです。つまり、旧安保条約にせよ現行の安保条約にせよ、安保条約は沖縄の人びとが日本の国政から排除されていた時代に成立したものでした。逆に言えば、日米安保体制の成立に政治的責任を負っているのは本土の人たちであるということになります。

次に、日米安保体制の支持率についてです。内閣府は「自衛隊・防衛問題に関する世論調査」をほぼ三年おきに行なっていて、そのなかで「日米安保条約は日本の平和と安全に役立っていると思うか」と尋ねています。「役立っている」という回答は、一九八〇年代には六〇%台後半でしたが、九〇年代には七〇%を超えて増加し続け、二〇一〇年代に入ると八〇%を超えるようになります（図9）。他方、「役立っていない」という回答は、一九八〇年代からつねに一〇%台にとどまっています。二〇二二年度の調査では、「役立っている」が八九・七%、「役立っていない」が九・一%になりました（図10）。

同じ調査で「日本の安全を守るためにはどのような方法をとるべきだと思うか」とい

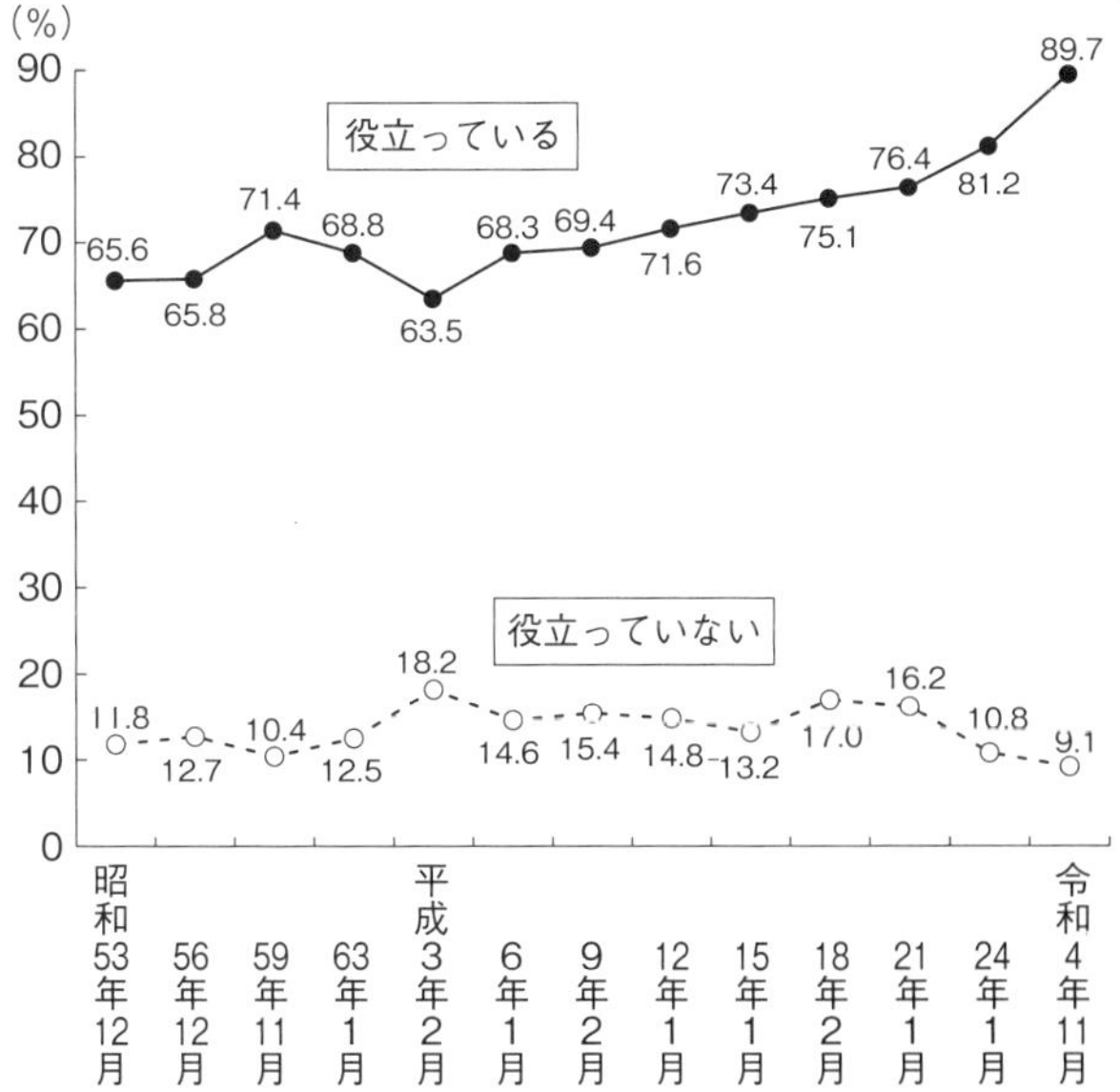

図9　日米安全保障条約についての考え方（時系列）自衛隊・防衛問題に関する世論調査より（内閣府）

う問いに対する二〇二二年度の回答は、「日米安全保障条約を続け、自衛隊で日本の安全を守るべきである」が九〇・九％、「日米安全保障条約をやめて、自衛隊だけで日本の安全を守るべきである」が五・六％、「日米安全保障条約をやめて、自衛隊も縮小または廃止するべきである」が一・六％です（図11）。これらの数字からは、日本国民の圧倒的多数が日米安保体制を支持していることが見えてきます。

政府ではなく新聞社、通信社など民間の報道機関の調査でもほぼ同じ傾向が出ています。ここでは共同通信社が二〇一五年に実施した戦後七〇年全国世論調査と、同社が二〇二二年に実施した沖縄復帰五〇年全国世論調査のデータを比べてみましょう。どちらの調査でも、「日本は戦後、米国と日米安全保障条約を結び同盟関係を築いてきました。あなたは日米の同盟関係をどう思いますか」という同じ質問をしています。二〇一五年と二〇二二年の回答の数字を順に挙げると、「今よりも同盟関係を強化すべきだ」が二〇％、二二％、「今の同盟関係のままでよい」が六五％、六六％、「同盟関係を薄めるべきだ」が一一％、一〇％、「同盟関係を解消すべきだ」が一％、二％となっています。

日本の防衛のあり方について

日米安全保障条約が日本の平和と安全に役立つことの考え

> 問　現在、日本はアメリカと安全保障条約を結んでいます。あなたは、この日米安全保障条約は日本の平和と安全に役立っていると思いますか。（○は１つ）

	令和４年11月
役立っている（小計）	89.7%
・役立っている	39.1%
・どちらかといえば役立っている	50.6%
役立っていない（小計）	9.1%
・どちらかといえば役立っていない	7.1%
・役立っていない	2.0%

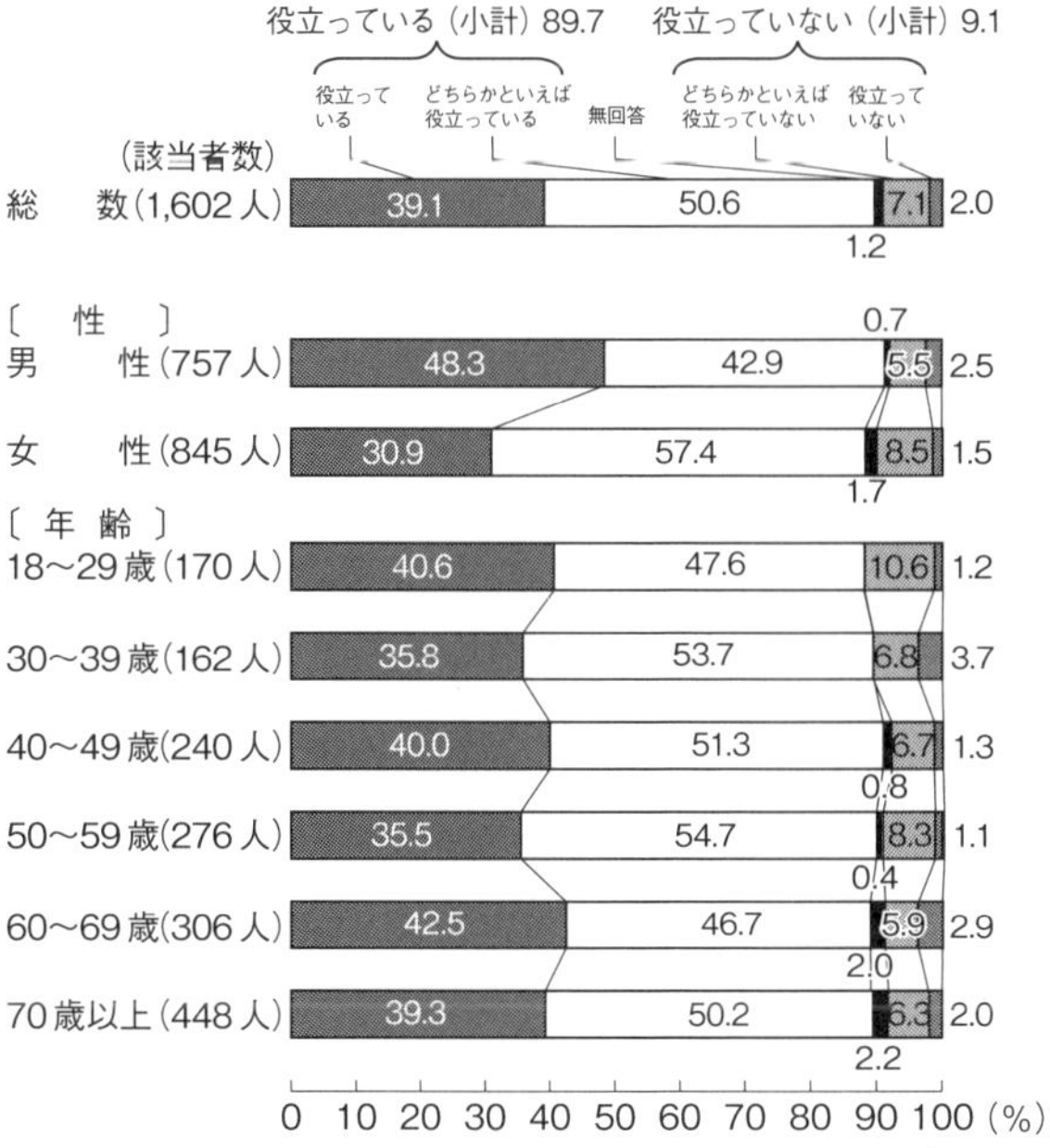

図10　日米安全保障条約についての考え方

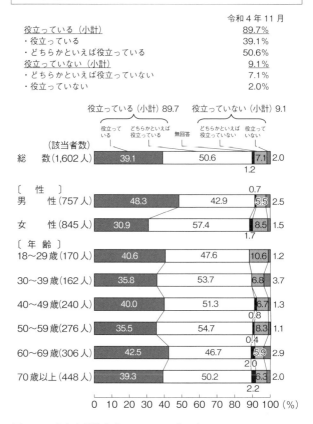

最近の七年間を挟んでもほとんど変わらず、「日米同盟」支持（強化と維持）が八割を超え、「薄めるべきだ」も維持に含めれば九割を超える一方、「解消」はわずか一、二％にすぎないのです。

戦後日本で日米安保体制への反対世論が最も盛り上がったのは、一九六〇年のいわゆる「六〇年安保闘争」のときでしょう。五〇年代の反基地運動などを通して安保条約への不満は高まっていましたが、岸信介内閣が旧条約を改定して新条約を締結しようとした際、「日本が米国の戦争に巻き込まれる」などとして、日本社会党や日本共産党などの革新政党、「総評」などの労働組合、「全学連」などの学生団体、また知識人などが「安保改定阻止」を呼びかけ、戦後最大の国民運動になったと言われます。しかし、結果的に新安保条約が成立すると、反対運動は急速に鎮静化し、一九七〇年に再度「安保闘争」があったものの広がりに欠け、高度経済成長のもとで「安保」に対する関心は長期低落を続けます。逆に、すでに見た通り、安保体制への支持率はほぼ一貫して高まり今日に至っているのです。

日米安全保障条約と自衛隊の防衛のあり方の考え

問　あなたは、日本の安全を守るためには、日米安全保障条約と自衛隊の防衛はどうあるべきだと思いますか。（○は１つ）

令和４年11月

- 日米安全保障条約を続け、自衛隊で日本の安全を守るべきである　90.9%
- 日米安全保障条約をやめて、自衛隊だけで日本の安全を守るべきである　5.6%
- 日米安全保障条約をやめて、自衛隊も縮小または廃止するべきである　1.6%

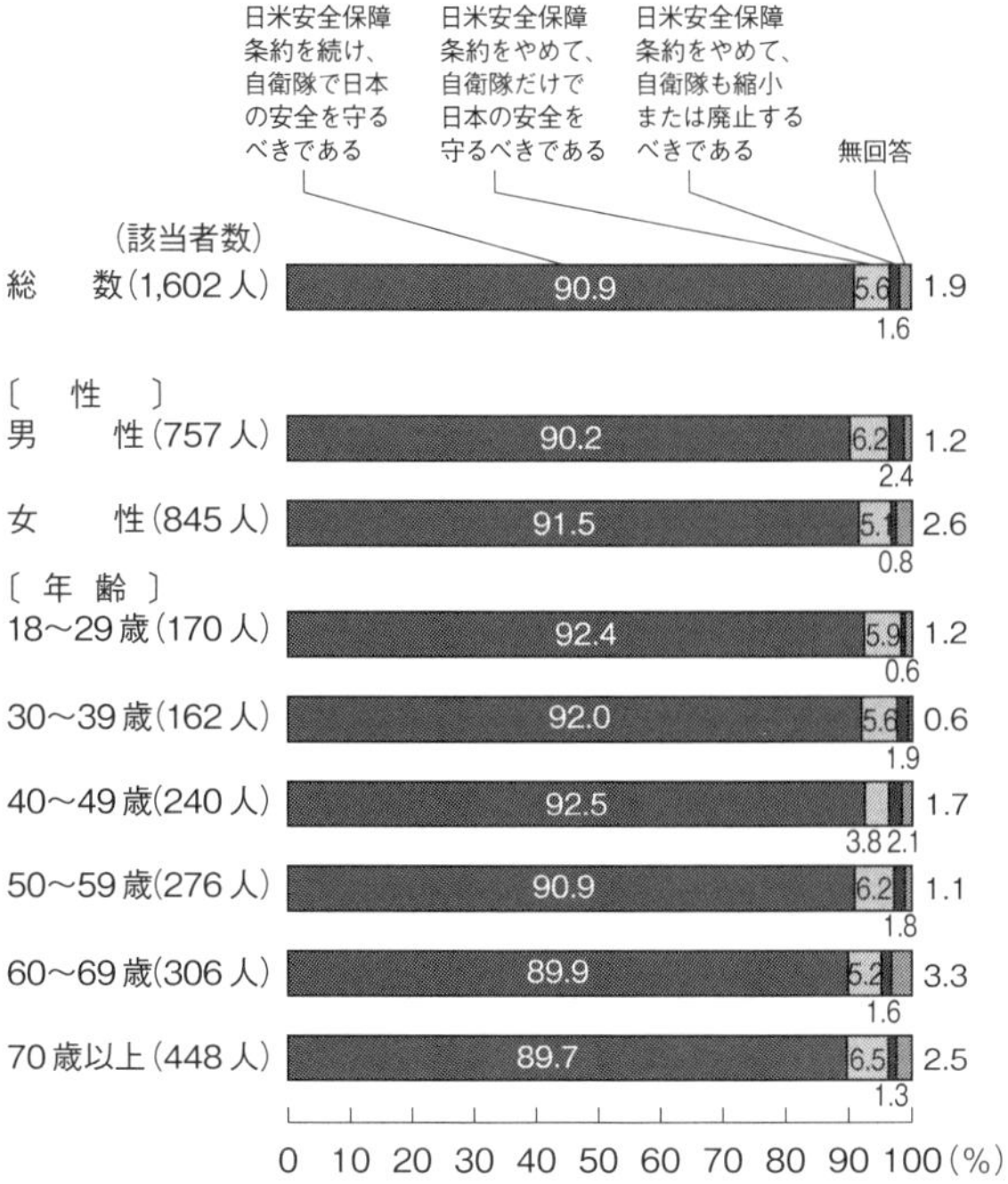

図11　日米安全保障条約についての考え方

今日では、日本の主要政党はみな日米安保体制を「日米同盟」の名で支持しており、日本共産党も「将来的に安保廃棄」の原則は維持しているものの、当面政権に加わることがあれば安保の枠内で行動するとしています。国会や国政選挙で安保の是非が論じられることはほとんどありません。かつて「安保反対」を唱えた労働者や学生の運動は見る影もありません。新聞も主要な全国紙はみな「日米同盟」支持の立場です。

このように見てくれば、現在の日米安保体制下での在日米軍基地のあり方に根本的な矛盾が横たわっていることに気づくでしょう。日本の人口の九九％（有権者数でもほぼ同じ）を占める本土の人びとの政治的意思で選択され、その八割を超える圧倒的多数で支持され、今後も維持されていくだろう安保体制のもとで、人口・面積ともわずか一％程度の小さな沖縄に、全体の七割を超える米軍基地（米軍専用施設）が置かれているという矛盾です。日本国民が日米安保体制を支持するということは、日本に米軍基地を置くことを支持するということにほかなりません。その安保体制の支持者の九九％は本土にいます。ところがその本土には、防衛省のデータが示すように、米軍専用施設のない府県が三四もあります。米軍専用施設の七割は、七〇年以上も米軍基地負担に苦しみ、反対の声を上げ続けてきた沖縄にあるのです。

この矛盾、巨大な不平等の体制こそ、沖縄に対する「構造的差別」と言われているものです。日米安保体制は、沖縄を犠牲として成り立つ「犠牲のシステム」だと言うこともできるでしょう。そしてこれは、琉球併合にまで遡る日本の沖縄に対する植民地主義の現在的形態だと捉えることが可能です。

第三章　沖縄から問われる「構造的差別」

一　沖縄からの「県外移設」論

本土から「押しつけ」られている

戦後長く今日に至るまで、米軍基地（米軍駐留）から生じる事件・事故、その他多くの負担に苦しんできた沖縄。現在でも本土に比して桁違いに過剰な基地負担に苦しむ沖縄。

この現実はけっして自然にできたものでも偶然こうなったものでもなく、本土の基地を整理縮小する一方で、本土の部隊を沖縄に移したり沖縄の基地を固定化したりするなど、差別的な基地政策によってもたらされた面があるのでした。本土の多くの地域で米軍がいなくなり沖縄の基地負担率が高まるにつれて、全国の日米安保体制支持率も高まったことは、本土の多くの地域で、基地のマイナス面にさらされることなく安保体制を安んじて支持できるようになったからだと推測されます。日本の平和と安全のために日米安保体制が役立っていると考える国民が圧倒的多数であることは、沖縄に基地を集中させることで本土の国民は基地負担を免れながら、安保体制の「利益」を享受している状態だと理解できるでしょう。

　こうした状況に、沖縄の人びとが、自分たちは日本政府とそれを支える本土の人びとから米軍基地を「押しつけ」られているのだ、という実感を強めたとしても不思議はありません。安保体制は本土の政治的選択によって成り立っているのに、それに伴う負担がどうして沖縄にだけこれほど多く、これほど長期にわたって押しつけられるのか。あまりに不公平、不条理ではないか。こうした実感から、沖縄で当然のように生まれてきたのが米軍基地の「県外移設」論です。

　沖縄で県外移設の声が高まるきっかけになったのは、一九九五年の米軍兵士少女暴行事件の際の大田《おおた》昌秀《まさひで》知事の発言と目されます。大田知事は沖縄だけが突出して大きな基地負担を負わされていることに繰り返し注意を促し、「安保が必要だというなら、本土も応分の負担をすべきではないか」と問いかけました。「応分の負担」を真剣に考えてみたら、どうなるでしょうか。面積で言えば本土は全国の九九・四%、人口でも約九九%ですから、沖縄の基地のほとんどは本土で負担しなければなりません。沖縄が沖縄戦で「本土防衛」のための「捨て石」にされたこと、日本の主権回復と引き換えに米軍支配下に置かれたこと、「復帰」後も半世紀以上、基地を過剰に負担させられてきたこと、そして日米安保体制の成立に沖縄の人びとは政治的責任がないこと等を考慮すれば、「基地なき島」に戻りたいという沖縄の人びとの願いに応えて、本来、沖縄の米軍基地全体を本土で引き取るべきだと言えるかもしれないのです。

一九九八年二月、沖縄県が普天間《ふてんま》飛行場返還の代替措置として名護《なご》市沖海上へリポート建設案（辺野古《へのこ》新基地建設案の原型）を正式に拒否した際、大田知事は記者会見でこう述べていました。

（記者）今後の基地問題解決への対応は。

安保条約が重要ならば全国民で負担すべきだ。沖縄県民は過去五十年間基地に苦しめられ、十分国に奉仕したのに政府の施策は十分ではなかった。基地が過重の負担になり自立経済を発展させる素地も失っている。主権国家としてこんなことが許されるのかということを、われわれは『不公平だ』と率直に訴えていく。

（記者）本土移転を積極的に検討しろということか。

沖縄の気持ちとしては、自らの苦しみをよその場所に移したくないが、弱い立場の沖縄に過重に負担させておくのはいかがなものか。沖縄も自ら生きることを目的にしており、よその人の手段になるのは人間的ではない。そこを理解していただきたい。

（東京新聞一九九八年二月六日朝刊）

「沖縄も自ら生きることを目的にしており、よその人の手段になるのは人間的ではない」とは、どういう意味でしょうか。沖縄の人びとは「基地のない平和な島」に戻って自分たちの暮らしをしたいと望んでいる。ところが、本土（本土の有権者とそれに支持された日本政府）の政策によって米軍基地を押しつけられ、日米安保体制の維持という本土の「目的」のための「手段」として利用されている。本土という「よその人」の政治的「目的」の「手段」として利用されて、自分たち本来の「人間的」な暮らしができなくされてしまっている。それは困る、という抗議の意味でしょう。

大田知事の次の稲嶺恵一《いなみねけいいち》知事は、二〇〇四年に起きた沖縄国際大学への米軍ヘリ墜落事故の後、小泉純一郎《こいずみじゅんいちろう》首相が沖縄の負担軽減のためとして米軍の本土移転を提案した際、これを歓迎し、成果を出すように政府に要請しています。次の仲井眞弘多《なかいまひろかず》知事も、二期目には普天間基地の県外移設を公約として当選しました。その仲井眞知事は、「平成の琉球《りゅうきゅう》処分」後に公約を撤回して県内移設（辺野古埋め立て）を承認してしまったのですが、仲井眞氏を県知事選挙で破った翁長雄志《おながたけし》知事は、知事就任前の那覇市長時代、朝日新聞のインタビューに応じて次のように発言していました。

僕らは、もう折れてしまったんです。何だ、本土の人はみんな一緒じゃないの、と。沖縄の声と合わせるように、鳩山《はとやま》さんが「県外」と言っても一顧だにしない。沖縄で自民党とか民主党とか言っている場合じゃないという区切りが、鳩山内閣でつきました。

（中略）

振興策を利益誘導というなら、お互い覚悟を決めましょうよ。沖縄に経済援助なんかいらない。税制の優遇措置もなくしてください。そのかわり、基地は返してください。国土の面積〇・六％の沖縄で在日米軍基地の七四％を引き受ける必要は、さらさらない。いったい沖縄が日本に甘えているんですか。それとも日本が沖縄に甘えているんですか。

（二〇一二年一一月二四日朝刊、インタビュー「総選挙・沖縄の保守が突きつける」）

二〇〇九年、自民党から民主党への政権交代があり、鳩山《はとやま》首相が普天間飛行場の「最低でも県外〔移設〕」をめざした際、本土の人びとは首相を支えて沖縄の基地負担を軽減してくれるのかと思いきや、まったくそうではなかった。自民党支持でも民主党支持でも「本土の人はみんな一緒」で、首相が孤立して県外移設が挫折するのを見ていただけだった（喜んだ人もいた）。それなら私たち沖縄の人間は覚悟を決めて、沖縄支援策などなくなっても基地の返還を要求したい、というわけです。

沖縄が日本に甘えているのか、日本が沖縄に甘えているのか、というのは厳しい問いかけです。本土ではしばしば、「沖縄の人は被害者意識が強く本土に甘えている」などといった沖縄「批判」が聞こえるのですが、実際は逆で、本土は自分たちが負うべき負担を沖縄に肩代わりしてもらって楽をしている（利益を享受している）のだから、本土が沖縄に甘えているのだ、というのです。

就任後の翁長知事は、「多くの県民の負託を受けた知事として、『辺野古に新基地は造らせない』ということを県政運営の柱にして、普天間飛行場の県外移設を求めていく」

（沖縄県議会二月定例会、二〇一五年二月一九日）という姿勢を鮮明にします。普天間飛行場の辺野古への「県内移設」に真っ向から反対し、「オール沖縄」勢力を率いて日本政府（安倍政権）と対決する沖縄のリーダーとして「県外移設」を掲げたのです。

翁長知事の後継者となった玉城知事も、負担を沖縄に押しつけることの不条理を指摘し、「安全保障は全国で負担すべきもの」と主張しています。こうした流れを集約する言葉として、辺野古基地阻止行動のリーダーとして知られる山城博治《やましろひろじ》氏の発言を引いておきましょう。「かつて大田昌秀元県知事が『安保が大事というならその負担も公平であってほしい』旨の発言を行なった。以後、沖縄はそのことを一貫して訴えている。今日、普天間基地の『県外移設』という要求に反映されている思想だ」（「沖縄・再び戦場の島にさせないために」）。

「県外移設」を求める市民

大田知事が政治家として本土の「応分の負担」について語り始めた一九九〇年代、沖縄の市民のなかからも「県外移設」の声が上がり始めます。一九九八年、沖縄の一二四人もの女性たちが東京を訪れ、安保が必要だという本土の世論に対して基地の「買い取り」を訴えた行動は、「女たちの東京大行動」と呼ばれました。出発前の記者会見の記録が残っています。

沖縄の人達もヤマトの人達もよく考えてください。沖縄ではどこを見ても基地に囲まれて五〇年余の暮らし。また、先の大戦では親を失い、子を失い、夫を失って言うに言われぬ苦しみを耐え忍んできました。もうこれ以上、がまんできません！この際、はっきりと沖縄は『基地はいらん！』と、押し返してきたいと思います。／橋本首相や大臣の方々は沖縄の心が本当にお分かりならば沖縄の基地は県内移設ではなく本土へ持っていってください。／ヤマトの皆さんも安保が必要と思うなら沖縄に基地を押し付けないで、みんなで平等に分担するという心を沖縄の人に示してください。沖縄から戦争のための基地をなくし、平和な守礼の邦、沖縄。ヤマト世になる以前の平和で豊かだった沖縄に戻して下さい。

沖縄の「草の根」の女性たちがはっきりと県外移設の要求を打ち出しています。その要求の宛先（誰に向かって求めているのか）は、まずは「橋本首相や大臣の方々」つまり当時の内閣で、つぎに「ヤマトの皆さん」つまり本土の国民＝有権者です。日本の安全保障政策を決定しているのは直接には日本政府ですから、沖縄の人びとが基地問題で抗議したり不満を訴えたりするのも、まずは政府に対してになるでしょう。しかし日本政府の政策を支持し支えているのは有権者であり、これまで見てきたように日米安保体制を一貫して支持してきたのは本土の有権者です。ここで沖縄の女性たちは本土の有権者をも基地押しつけの責任者として率直に批判しているのです。

「沖縄の心が本当にお分かりならば沖縄の基地は県内移設ではなく本土へ持っていってください」と言っていますが、「沖縄の心が本当にお分かりならば」とはどういうことでしょうか。大田知事は記者会見で「本土移転を積極的に検討しろということか」と問われ、「沖縄の気持ちとしては、自らの苦しみをよその場所に移したくないが、〔中略〕そこを理解していただきたい」と答えていました。「沖縄の気持ち」は「自らの苦しみをよその場所に移したくない」ということで、「本当は本土の人に沖縄と同じような苦しさを味合わせたくないのだが……」という、いわば「沖縄の優しさ」を表わす言葉として受け取られていました。一方、「女たちの東京大行動」の人たちが語る「沖縄の心」は、もはやそういうものではありません。沖縄に基地を押しつけられていることには「もうこれ以上、がまんできません！」ということです。もうこれ以上の不平等、不条理には耐えられない、基地のない平和な島に戻りたい、という「沖縄の心」に応えて、基地は「本土へ持っていって」「みんなで平等に分担する」ようにしてください、と訴えているのです。

「自分たちも苦しいが、だからといって本土に移せば本土の人たちが苦しむことになる。それは忍びない」。こんなふうに理解された「沖縄の心」は、本土のメディアでもしばしば「沖縄の優しさ」として好意的に紹介されてきました。しかし、よく考えてみれば、

「好意的に」紹介されること自体、問題を孕《はら》んでいるように思われます。本土の人たちは、そうした報道に接した時、どこかでホッと安堵《あんど》していることはないでしょうか。「そうか。沖縄の人たちは、どうしても本土に持っていけ、と強く要求することはないんだな。ありがたい」。こんなふうに思ってやり過ごしてしまうなら、「沖縄の優しさ」を利用して本土の責任を回避している、まさに「沖縄に甘えている」と言われても仕方がないように思います。「女たちの東京大行動」は、そんな甘えを許さない毅然《きぜん》とした態度で、基地は「本土へ持っていってください」と要求したのです。

二〇〇五年、沖縄出身の社会学者、野村浩也《のむらこうや》氏が『無意識の植民地主義　日本人の米軍基地と沖縄人』（御茶の水書房）という画期的な書物を公刊しました。野村氏はここで、「日本人」は「沖縄人」に対して「基地の押しつけという植民地主義」を行使しており、沖縄に集中する米軍基地は日米安保体制を維持しつづける日本人のもの、「日本人の米軍基地」だと主張します。構造的差別のもとで、日本人の沖縄人に対する政治的権力的支配がつづいており、日本人は「植民者」、沖縄人は「被植民者」となっている。そこで、日本人はこの植民地支配者であり差別者であるという政治的権力的位置（民族的な「アイデンティティ」と区別して「ポジショナリティ」positionality と呼ばれます）から離れ、沖縄人と対等な人間同士として向き合うために、基地を本土に引き取らなければならない。このように論じて野村氏は、沖縄の「県外移設」要求に思想的な表現を与えたのです。

野村氏の著書は、本土にも沖縄にも、反発や無視を含め複雑な波紋を引き起こしました。なかでも、この本が本土の研究者や作家、反基地運動家など「沖縄との連帯」を語る「良心的日本人」の言説を社会学的な視点で鋭く分析し、そこに潜む「無意識の植民地主義」を容赦なく暴いてみせたことのインパクトは甚大でした。序章には、全体を象徴するような印象的な一節が記されています。

日本人：「沖縄だーい好き！」
沖縄人：「そんなに沖縄が好きだったら基地ぐらいもって帰れるだろう。」

日本人：「……（権力的沈黙）」

日本人：「沖縄と連帯しよう！」

沖縄人：「だったら基地を日本にもって帰るのが一番の連帯ですね。」

日本人：「……（権力的沈黙）」

日本人：「沖縄人もわたしたちと同じ日本人です。」

沖縄人：「ならどうして沖縄人をスパイ呼ばわりして殺したんだ？　どうしてヒロヒトは沖縄をアメリカに売り渡したんだ？　どうして琉球王国を滅ぼしたんだ？　どうして琉球語を禁止したんだ？　どうして沖縄にだけこんなにも基地を押しつけるのか？　どうして差別するんだ？」

日本人：「……（権力的沈黙）」

日本人：「(独白)。沈黙こそわが利益。聴かないことこそわが利益。応答しないことこそわが利益。植民地とはそういうもの。原住民の声なんて聴く必要はない！」

ここで「日本人」と表記されているのは「日本国民」という意味ではありません。「日本国民」であれば、現在の法制度の下で「沖縄県民」の多くを占める「沖縄人」も事実としてそこに含まれます。この「日本人」は、「沖縄人」(ウチナーンチュ)と区別された意味での「日本人」(ヤマトゥンチュ)つまり本土の日本人を指しています。

この対話モデルが興味深いのは、「土人」発言や沖縄に対するヘイトスピーチに見られるようなあからさまな差別的意識をもつ「日本人」ではなく、反対に、「自分は沖縄への差別意識などまったくもっていない」と思っているような「日本人」、むしろ沖縄差別に対しては批判的で「自分は沖縄の味方だ」などと思っているような「日本人」の反応を描いているからです。

「沖縄だーい好き」という「日本人」の発言はしばしば耳にします。一九九〇年代から二〇〇〇年代初めにかけて、首里城再建、世界遺産登録、「沖縄サミット」（G7＝先進国首脳会議）開催などが相次ぎ、テレビ（NHK連続テレビ小説「ちゅらさん」）や映画（「ナビィの恋」）の活況、沖縄出身の芸能人の輩出などが重なって、観光客や移住者も増加する「沖縄ブーム」が起きました。かつての「リキ人」差別などとはうって変わって、「沖縄が好き」であることが本土の人間として現代的、オシャレであるかのような雰囲気さえ生まれたのです。

　ところが、「沖縄好き」を自称する本土の人に、「そんなに沖縄が好きなら、沖縄の重荷になっている基地負担を少しでも分担してくれないか」と尋ねたら、どうなるか。「基地をもって帰る」とは、何も一人で基地を物理的にもって帰ることではありません。それはどんな個人にも不可能です。そうではなく、この問いは、「そんなに沖縄に好意をもっているなら、沖縄が不公平にも押しつけられている基地を本土で引き受けるように、本土の人間として何らかの努力をするのが当然ではないか。沖縄の人間が苦しんでいるのに、なぜ何もしないで、ただ沖縄が好きだなどと喜んでいられるのか」と言って、沖縄の現状に対する本土の人の責任を問うているのです。

これに対する「日本人」側の答えを、野村氏は「……（権力的沈黙）」としています。個人的に差別意識をもっていたり、沖縄へイトに加わったりする「日本人」ならば、この問いに対して激怒して反論したり、罵詈雑言を浴びせて去っていくかもしれません（いわゆる「逆ギレ」）。しかし、「沖縄好き」を公言するような「日本人」ならば、どうでしょうか。予想外の問いかけに戸惑い、答えに窮してしまうでしょうか。

野村氏の言う「権力的沈黙」とは、「日本人」と「沖縄人」の政治的権力的位置（ポジショナリティ）の違いに関わることがらです。この場合、「沖縄好き」の「日本人」が問いかけを誠実に受け止め、答えに窮している場合でも、そうではなく、問いかけに背を向け、黙って立ち去った方が得策だと思ってそうした場合でも、結果は同じです。「日本人」が沈黙し、この問いかけに言葉としても行動としても応答しなければ、現実は何も変わりません。「日本人」が「沖縄人」に基地負担を押しつけているという現実、その政治的権力的関係は何も変わらず、したがって、「日本人」は同じ日米安保条約下に生きながら基地負担を大幅に免れるという利益を享受し続けることができるのです。この場合、「日本人」の沈黙は、「沖縄人」に対する「植民者」としての権力行使になってしまうのです。

あるいは、「沖縄と連帯しよう」という「日本人」。こうした「日本人」は、沖縄の基地被害に心を痛め、沖縄の人びとと「連帯」して一緒に基地に反対しているかもしれません。しかし、「それなら、基地を本土にもって帰るのが一番の連帯ではないか」と言われたら、どうするのか。そこで黙ってしまえば、その沈黙はやはり「権力的沈黙」として作用します。どんなに「良心的」に沖縄の人びとの苦しみに共感している（と思っている）人でも、沈黙するだけで、本土の人間として基地負担を免れる受益者であり続けることができるのです。

「沖縄の人も同じ日本人じゃないか。同じ国民として平等じゃないか」と言いたくなるひともいるでしょう。これに対して野村さんは、沖縄戦で日本兵が沖縄の住民を米軍のスパイ視して虐殺した例や、昭和天皇が米軍による沖縄の軍事占領を希望した「天皇メッセージ」、琉球併合や日本語の強制などといった差別の歴史を引いて、その延長上に現在の基地の押しつけを位置づけ、現実にはけっして平等ではないではないか、と問います。こうした問いに本土の人びとが応答しない限り、その沈黙自体が、「原住民」の声に耳を貸さずに自己利益を図る植民地主義にほかならない、というわけです。

「権力的沈黙」は、無視であったり、逃避であったり、はぐらかしであったり、居直りであったり、さまざまな形態をとることができます。それは、権力関係における「弱者」からの問いかけに対する「強者」による「応答の拒絶」なのです。このようなふるまいは、「県外移設」論のもう一人の論客である知念ウシ氏によって、「シランフーナー（知らんふり）の暴力」とも名づけられています（『シランフーナー（知らんふり）の暴力　知念ウシ政治発言集』未來社、二〇一三年）。

野村氏はまた、「日本人」による沖縄の植民地化の結果として、植民地主義への「沖縄人」の「共犯化」が生じることを問題視しました。「沖縄の痛みをよそ（日本）に移すのは心苦しい」というあの「沖縄の心」でさえ、そうした「共犯化」の一例と考えられるというのです。

「沖縄の痛みをよそ（日本）に移すのは心苦しい」と「沖縄人」が言えば、「日本人」は安堵《あんど》します。「基地をもって帰れ」などと言われなくて済むと思うからです。ところが、そのように言って沖縄への基地集中が続くなら、「沖縄人」にとっては、自分の子や孫つまり次世代の「沖縄人」に痛みを押しつける結果になってしまう。なぜ、「よそ（日本）に移すのは心苦しい」とは言うのに、「次世代の沖縄人に移すのは心苦しい」とは言わないのか。「沖縄の痛みをよそ（日本）に移すのは心苦しい」という言葉は、まるで自分たち（沖縄）の子や孫を犠牲にして、「よそ（日本）」の人を喜ばせているように聞こえる。こうした「沖縄の優しさ」は、基地を負担したくない「日本人」に抜け目なく利用され、「日本人」の甘えを許す一因になってきたのではないか。

野村氏の批判的分析はこのようにして、基地反対派も含めた「日本人」にとってはもとより、「日本人」の責任を問い切れない「沖縄人」にとっても、厳しく自省を迫るものでした。そしてその全体を通して、「無意識の植民地主義」の実相を浮かび上がらせるリトマス試験紙となったのが「県外移設」の思想でした。

「琉球独立」の場合

「県外移設」論の基礎にあるのは、本土による沖縄への「構造的差別」に対する明確な批判です。沖縄には他にも、この批判を共有する思想や運動があります。「琉球独立」論と「琉球先住民族」論がそれです。

沖縄が明治政府により日本に併合されるまで琉球国として別の国であったことを考えれば、沖縄に日本からの独立論があったとしても何も不思議はありません。戦後初期からいくつかの政治党派が独立論を掲げましたし、日本「復帰」に反対した「反復帰論」にも独立志向がありましたが、今日では二〇一三年に発足した琉球民族独立総合研究学会を中心に独立論が活発になっています。琉球民族独立総合研究学会は、琉球併合以降の歴史を「琉球差別」と「植民地支配」の歴史ととらえ、そこからの琉球民族の「解放」つまり独立をめざして研究を行なうとしています。その設立趣意書にはこうあります。

日本人は、琉球を犠牲にして、「日本の平和と繁栄」をこれからも享受し続けようとしている。このままでは、我々琉球民族はこの先も子孫末代まで平和に生きることができず、戦争の脅威におびえ続けなければならない。（中略）琉球は日本から独立し、全ての軍事基地を撤去し、新しい琉球が世界中の国々や地域、民族と友好関係を築き、琉球民族が長年望んでいた平和と希望の島を自らの手でつくりあげる必要がある。

琉球が日本から独立する主な目的のひとつは、ここにあるように、「戦争の脅威」におびえなくてすむ「平和と希望の島」をつくるために、「全ての軍事基地を撤去」することにあるのです。沖縄に置かれている米軍基地は日米安保条約に基づいて置かれているのですから、沖縄が新琉球国として日本から離れれば、琉球の人びとがそれを望む限り、米軍基地は撤去されなければなりません。そして日本がそれを必要とする限り、沖縄から撤去された米軍基地は日本（現在の本土）に移されることになるでしょう。沖縄の全米軍基地が「県外移設」されるのと同じ結果になるわけです。自衛隊基地についても同じです。独立を望む沖縄の人びとは今のところ多くないと言われていますが、基地の押しつけと基地被害が続く限り、今後どうなるかは分かりません。

「琉球先住民族」論は、琉球民族を日本の「先住民族」とし、国際人権法で言う「先住民族」としての権利の保障を要求するものです。ＩＬＯ（国際労働機関）条約第一六九号やそれを参照する国連組織などで「先住民族」（indigenous peoples）とは、独立国の一部で、社会、文化、経済的に区別された人びと、征服、植民地化された住民の子孫で社会、経済、文化、政治を強制された人びと、先住民族としての自己意識をもつ人びとを指します。二〇〇七年には国連総会で「先住民族の権利に関する国際連合宣言」が採択されました。これは「すべての民族」に「異なることへの権利、自らを異なると考える権利、および異なる者として尊重される権利」を認め、先住民族が「自己決定の権利」をはじめ「個人または集団として」の「すべての人権」を享有することを宣言したものです。

二〇〇八年、国連の自由権規約委員会（加盟国内で人権が守られているかを審査し勧告を出す組織）は、日本政府に対して、「アイヌと琉球／沖縄の人びとを先住民族として国内法で明確に承認し、その継承文化や伝統的生活様式を保護し、保存し、促進し、その土地に対する権利を承認すべきである」と勧告しました。二〇一〇年に国連の人種差別撤廃委員会は、「沖縄の人びとが被ってきた根深い差別」を指摘し、「沖縄への軍事基地の不均衡な集中が住民の経済的、社会的、文化的な諸権利の享受に否定的な影響を与えていること」を「人種主義（レイシズム）の現代的形態」として批判しました。自由権規約委員会と人種差別撤廃委員会は、その後もたびたび、「沖縄／琉球の人びと」を先住民族として認め、その国際人権法上の諸権利を保障するように日本政府に勧告しています。

アイヌの人びとについては二〇〇八年、衆参両院で「アイヌ民族を先住民族とすることを求める決議」があり、それを受けて町村信孝《まちむらのぶたか》官房長官が日本政府として「アイヌの人びとを先住民族として認める」談話を発表しました。国連の宣言に謳《うた》われた権利保障にはまだまだ足りないものの、「アイヌ新法」を立法するなどして政策を進めています。ところがその同じ政府が、琉球／沖縄の人びとについては先住民族として認めることを一貫して拒んでいます。沖縄の人びとは「日本民族」であり、日本民族と区別された「琉球民族」なるものは存在しないというのです。なぜでしょうか。先住民族の権利を定めた国連の宣言には、次のような条文があります。

第三〇条【軍事活動の禁止】

一　関連する公共の利益によって正当化されるか、もしくは当該の先住民族による自由な合意または要請のある場合を除いて、先住民族の土地または領域で軍事活動は行われない。

二　国家は、彼／女らの土地や領域を軍事活動で使用する前に、適切な手続き、特にその代表機関を通じて、当該民族と効果的な協議を行う。

沖縄の人びとを「先住民族」と認めると、沖縄の人びとが反対する限り、米軍基地であろうと自衛隊基地であろうと軍事基地を置けなくなってしまうのではないか。沖縄に対する差別的な基地政策を維持できなくなってしまうのではないか。日本政府がそんなふうに考えているであろうことは想像に難くありません。「構造的差別」の存在を認め、それを解消しようとするかどうかという大きな対立がここにも存在しているのです。

沖縄の基地の「本土引き取り」論

沖縄からの「県外移設」論が明らかにしたのは、沖縄の基地問題が純粋な安全保障問題ではないということです。日米安保体制下での本土による沖縄への「構造的差別」の問題、つまり「差別問題」としての側面があるということです。「県外移設」論は「沖縄への基地集中は差別だ、差別をやめよ」と要求しているのです。これまで見てきたように、この要求はさまざまな声として本土に発信されていますから、本土の人はもはやこれを知らないと言うわけにはいきません。「シランフーナー」（知らないふり）をするのでなければ、この声にどう応答するかを真剣に考える必要があるでしょう。

本土の側で沖縄からの「県外移設」要求の意味を受けとめ、沖縄の基地を引き取ることで「構造的差別」の解消をめざすのが「基地引き取り」論です。「基地引き取り」の意思表明は、一九九五年の少女暴行事件後に、大田知事が本土に「応分の負担」を求めたときからつとに見られました。同年一一月、政治学者の雨宮昭一《あめみやしょういち》氏は茨城大学教職員組合執行委員長の名で「沖縄県民の皆さんと沖縄県知事大田昌秀さんへのメッセージ」を発し、こう述べました。「〔非軍事的、非暴力的世界をめざすなかで〕過渡的には、沖縄県への基地の集中を放置するのではなく、日本全都道府県に均等に米軍基地が置かれることもありうべきと考えています。苦しみもそして苦しみからの解放も又、同等に負うべきだからです」。また、翌年九月、広島県原水禁常任理事であった横原由紀夫氏は朝日新聞の「論壇」に寄稿し、「国土面積の〇・六％の沖縄に米軍基地の七五％が集中し、財産権・生存権が侵され、沖縄だけが過重負担を負い続けてきた現状に対し、沖縄の人たちは「もう我慢できない」と、政府と本土に反乱を起こしたのである。この沖縄の訴えを無視し続けることは、政府にも国民にも許されることではない」として、「日米安保体制を解消していく道」の最初の二段階をこう提案しました。「①沖縄の基地の約五〇%を本土と米国へ移転する。移転は二〇〇〇年までに実現させるとして、米政府と直ちに交渉へ入る。②本土移転については、自衛隊基地に収容することとし、自衛隊の演習の縮小など日本の軍縮を進めることで対応する」。

二〇〇九年、民主党政権鳩山首相が普天間飛行場の「県外移設」を追求して挫折、「辺野古移設」に回帰したプロセスは、沖縄の人びとの「県外移設」への期待がいかに大きいかを示しました。そうした流れを受けて、二〇一五年三月には、基地引き取りを訴える初めての市民運動団体「沖縄差別を解消するために沖縄の米軍基地を大阪に引き取る行動」が立ち上がりました。同年六月、筆者は日本人（ヤマトゥンチュ）として沖縄の基地を本土に引き取る論理を小著にまとめて上梓《じょうし》しましたが、その後、福岡、長崎、新潟、首都圏（東京・神奈川）、山形、兵庫、埼玉、札幌《さっぽろ》、秋田など、各地で基地引き取りをめざす市民運動が起こり、二〇一七年四月からはこれらが全国連絡会を結成して活動しています。

こうした「基地引き取り」論や運動は、現状では大きな政治的な力をもってはいません。ただ、本土の世論が「基地引き取り」をまったく拒絶しているかといえば、そうとも言えません。二〇二二年、共同通信社は沖縄の日本「復帰」五〇周年をめぐる世論調査を行ないました。「沖縄の米軍基地の一部を他の都道府県で引き取るべきだという意見があります。あなたは、どう思いますか」という質問に対して、沖縄県民の回答は「賛成」三八％、「どちらかといえば賛成」三七％、「どちらかといえば反対」一五％、「反対」一％、「無回答」一％でした。「どちらかといえば」を合わせれば賛成は七五％、反対は一六％ですから、賛成が圧倒的多数と言えるでしょう。一方、全国の回答はといえば、「賛成」一五％、「どちらかといえば賛成」四三％、「どちらかといえば反対」二九％、「反対」一一％、「無回答」二％でした。「どちらかといえば」を合わせれば賛成は五八％、反対は四〇％ですから、沖縄に比べれば賛否の差は小さいものの、それでも賛成が過半数を占めています。

これは決して意外なことではありません。同年に朝日新聞、沖縄タイムス、琉球朝日放送が行なった全国世論調査でも、「沖縄にある米軍基地などを整理・縮小するために、一部を国内の他の地域に移すことについて賛成ですか、反対ですか」という質問に、賛成六三％、反対二七％という回答がありました。沖縄の米軍基地過剰負担を解消するために「一部」を本土に移すことについては、「本土」の世論は一般論としては賛成に傾いているように思われるのです。ところが、問題はその「一部」が自分の住む地域に移ってくる場合です。共同通信社の「復帰」五〇周年全国調査では、「あなたの住む地域に米軍基地が移設されてくるとすればどう思いますか」という質問に、「賛成」六％、「どちらかといえば賛成」二三％、「どちらかといえば反対」四二％、「反対」二七％、「無回答」二％という結果でした。「どちらかといえば」を合わせた賛成は二九％、反対は六九％で、賛否が逆転し、むしろ反対が圧倒的になるのです。要するに、本土でも自分の住む地域でなければよいが、自分の住む地域に来るのはいやだ、ということなのでしょう。

自分の住む地域の安全や平和を望むことは住民として当然のことで、そのこと自体が悪いわけではありません。ですが、すでに見たように、日本には米軍専用施設のない府県が三四もあります。それなのに、日本に米軍基地を置くことに八割以上が賛成する日本国民が自分の地域に置くことには七割もが反対し、沖縄に日本全体の米軍基地の七割以上が集中するのを知りながら、その「一部」ですら、たとえば沖縄の米軍基地面積全体の三%にも満たない普天間飛行場の移設ですら、移設を受け入れる府県がひとつもないという現状は、何を意味しているのでしょうか。

二　新たな「沖縄戦」の危機

「台湾有事」問題

二〇二〇年代に入ると、沖縄をめぐる状況は一段と緊迫の度を増してきました。いわゆる「台湾有事」問題です。

二〇二一年三月九日、米インド太平洋軍のフィリップ・デービッドソン司令官が米国上院軍事委員会の公聴会で、「六年以内」に中国が台湾に軍事侵攻する恐れがある、と警告しました。米軍制服組トップのマーク・ミリー統合参謀本部議長が「二年以内」の可能性を打ち消したものの、デービッドソン発言をきっかけに「台湾有事」論が活発化します。二〇二三年二月二日には、CIA（米国中央情報局）のウィリアム・バーンズ長官も、中国の習近平《しゅうきんぺい》国家主席が「二〇二七年までに台湾侵攻の準備を整えるよう軍に命じたことを示すインテリジェンス（情報）を把握している」と述べています。

中国の台湾政策は基本的に「平和統一」路線で、習近平政権でもそれは変わっていません。武力統一にはさまざまなリスクがあり、失敗したときの巨大なマイナスを考えれば平和統一路線は当然とも言えます。それでも中国が武力統一に動くとすれば、台湾が独立に向かう動きを見せたときですが、台湾の民意は現状維持が多数を占めている現状があります。冷静に考えれば、「台湾有事」切迫論にどこまでリアリティがあるのかは疑問です。

とはいえ、他方では、そうした切迫論を一笑に付すことができない流れがあることも確かです。一九九一年のソ連崩壊後、「唯一の超大国」となったアメリカが世界の覇権を握りましたが、二一世紀になると急速に中国が台頭し、経済的にも軍事的にもアメリカに対抗しうる国力を有するようになりました。米中両国の対立が目立つようになったのです。

米中対立の軍事的最前線は、中国のいわゆる「第一列島線」、つまり九州沖から沖縄、台湾、フィリピンを経てボルネオ島を結ぶ線です。もともと冷戦期にアメリカが中国封じ込めを目的に設定したラインを、中国は対米防衛の生命線と見なしているのですが、このライン上の台湾を実質的に主権下に収めれば、中国は西太平洋での軍事的な対米優位を確保できる可能性が高くなります。また台湾は現在、TSMC（台湾積体電路製造）を中心として、軍事を含むハイテク技術に不可欠の半導体製造分野において世界一の座を占めています。中国は台湾の半導体産業を支配下におきたいし、アメリカはそれを阻止したいので、台湾は経済的にも米中対立の最前線になっているのです。

米国の「台湾有事」論は、ただちに日本の政治に影響を与えます。二〇二一年一二月、安倍晋三元首相は「台湾への武力侵攻は日本に対する重大な危険を引き起こす。台湾有事は日本有事であり、日米同盟の有事でもある」と述べました。中国はこれに対して「強烈な不満と断固たる反対」を表明します。さらに、二〇二二年二月にはロシア軍がウクライナに全面侵攻を開始し、ウクライナがこれに応戦してウクライナ戦争が始まります。国連安全保障理事会の常任理事国で核兵器保有国のロシアが公然と隣国に対して侵略戦争を開始したことは、世界に衝撃を与えました。これを受けて、日本の岸田《きしだ》文雄《ふみお》首相は「ウクライナは明日の東アジアかもしれない」と繰り返すようになります。ロシアのウクライナ侵攻と同様、中国の台湾侵攻によって東アジアが戦火に包まれる恐れがあるので、それに対する備えとして防衛費を大幅増額し、軍事力を強化する必要があるというわけです。二〇二三年八月には麻生太郎元首相が台湾を訪問し、こう述べました。「日本、台湾、米国をはじめとした有志国に強い抑止力を機能させる覚悟が求められている。戦う覚悟だ。お金をかけて防衛力を持っているだけでは駄目。それをいざとなったら使う。台湾防衛のために」。こうした状況のもとでは、日本のなかで台湾に最も近い沖縄・琉球諸島で、戦争に巻き込まれる不安が高まるのも当然でしょう。

自衛隊の「南西シフト」

「台湾有事」が現実になれば、その最前線になるのは沖縄島を中心とする琉球諸島だと考えられています。沖縄島には在日米軍基地の七割もが集中し、極東最大の空軍基地である米軍嘉手納《かでな》基地があるため、「台湾防衛」のための中国との戦争でここが米軍の拠点となることは容易に予想されます。また、そうであれば、逆に中国軍にとっても、沖縄の米軍基地を無力化できるかどうかが決定的に重要なポイントになってくるでしょう。

しかし、同時に、安倍元首相や麻生元首相の発言からも明らかなように、「台湾有事」にあっては日本の自衛隊も参戦することが当然視されています。そのため、現在では宮古島、石垣島など先島諸島にも自衛隊が進出し、琉球諸島全体が「台湾有事」のための軍事要塞になったかのような観を呈しているのです。

琉球諸島への自衛隊の進出は、「台湾有事」論台頭のはるか以前から始まっています。沖縄の日本復帰（一九七二年）後、那覇に自衛隊が配備されますが、沖縄では激しい抗議運動が起きました。自衛隊に旧日本軍のイメージが重なり、沖縄戦の際に日本軍は住民を守らなかった、虐殺された住民もいたという記憶が呼び覚まされたのです。その後、離島からの救急患者の緊急搬送や不発弾の処理といった自衛隊の活動もあり、沖縄の世論も変化しますが、一九九〇年代に状況の大きな変化が生じます。東西冷戦の間、自衛隊の最大の仮想敵国はソ連であり、したがって北海道など北方への配備が重視されたのですが、冷戦が終結しソ連が消滅すると、南西方面重視への転換が模索され、二〇一〇年の「防衛計画の大綱」でいわゆる「南西シフト」が打ち出されます。海洋進出の動きを強める中国への対応を課題として、南西諸島への自衛隊配備、「島嶼《とうしょ》防衛」の計画が進められることになったのです。

この方針に沿って、奄美《あまみ》大島から与那国《よなぐに》島に至る島々に自衛隊の配備が進められまし

図12　陸上自衛隊宮古島駐屯地（朝日新聞社）

た。二〇一六年三月、与那国島に陸上自衛隊駐屯地を開設し、沿岸監視隊を配備。人口約一七〇〇人程度の島に、自衛隊員一六〇人、その家族も含めて約二五〇人が移住してきて、島のあり方が大きく変わりました。続いて、二〇一九年三月、奄美大島に陸上自衛隊駐屯地を開設し、地対艦・地対空ミサイル部隊等を配備。同年同月、宮古島に陸上自衛隊駐屯地を開設（図12）、翌年三月には地対艦・地対空ミサイル部隊を配備。二〇二三年三月には石垣島にも陸上自衛隊駐屯地を開設し、地対艦・地対空ミサイル部隊を配備しました（図13）。沖縄島うるま市の陸上自衛隊勝連分屯地にも、地対艦ミサイル部隊が配備されつつあります。

安全保障政策の大転換

こうして二〇一〇年代半ばからおよそ一〇年の間に、沖縄島だけでなく琉球諸島全体が巨大な軍事要塞と化し、中国との戦争のためのミサイル発射基地のようなものに変貌させられてしまいました。このプロセスの間に、日本の安全保障政策史上かつてなかっ

図13　石垣島の自衛隊駐屯地（朝日新聞社）

た大転換が行なわれたことも見逃せません。安倍政権下での閣議決定による集団的自衛権の一部解禁（二〇一四年）、同じく安全保障関連法制定（二〇一五年）、岸田政権による「敵基地攻撃能力の保有」決定等です。安保関連法制定以前、集団的自衛権行使が憲法上認められないとされていた段階では、自衛隊の武力行使は日本に対する武力攻撃があった場合にのみ可能でした。「台湾有事」で言えば、中国が台湾に軍事侵攻を開始したり、そこに米軍が介入して中国軍との交戦状態に入ったりしただけでは、自衛隊は武力行使できなかったのです。ところが安保関連法によって、「重要影響事態」「存立危機事態」「武力攻撃事態」といった概念が導入されて様相は一変します。

中国軍の台湾侵攻が開始され、在日米軍がそれに対応する動きを始めれば、日本政府はそれを放置できない「重要影響事態」と見なして米軍の後方支援を行なうことができます。さらに中国軍と米軍との戦闘が始まれば、日本の存立が脅かされかねない「存立危機事態」と見なして、日本への武力攻撃が発生していなくても、集団的自衛権を行使して中国軍への武力行使が可能となるのです。中国軍が沖縄の米軍基地に武力攻撃を始めたら、日本政府はそれを日本への武力攻撃と見なして「武力攻撃事態」と認定し、個別的自衛権に基づく中国との本格的戦争に入っていくでしょう。そして、これらいずれの「事態」においても、在日米軍と自衛隊の軍事行動の拠点になるのは琉球諸島であり、中国から見れば琉球諸島が攻撃目標になります。琉球諸島のミサイル基地に「敵基地攻撃能力」をもつ長距離ミサイルが配備されるようになれば、これらの島々はいっそう中国軍の攻撃目標として重要になるでしょう。こうして「台湾有事」は、琉球諸島を戦場とする「第二の沖縄戦」になる恐れがあるのです。

求められているのは

本土防衛のための「捨て石」とされた沖縄戦、敗戦日本の主権回復のために米軍支配下に置かれた時代を経て、日本「復帰」後も在日米軍基地が集中し、事件・事故が後を絶たないばかりか、新基地建設まで強行され、さらに加えて、「中国の脅威」「台湾有事」の名のもとに琉球諸島全体が「日米同盟」軍の軍事要塞とされ、「第二の沖縄戦」

の危機さえ叫ばれているのが現状です。本土の日本人が「沖縄」をイメージするとき、はたしてこれらの現実をどこまで意識しているでしょうか。

沖縄を訪れる観光客は年間数百万人にも上ります。ほとんどの観光客が期待するのは、青い海、温暖な気候、美味しい料理、南国風のゆったりと流れる時間、優しく歓迎してくれる地元の人びと、などといったものでしょう。いわばリゾート地としての沖縄です。ところが、その沖縄には、三一の米軍専用施設があり、総面積は一万八千ヘクタール余り、沖縄島の約一五%の土地を占有して広がっています。車を走らせればすぐにも基地のフェンスが眼に入り、軍用機の轟音が耳に入ってきます。沖縄に来た目的が観光だったとしても、基地の存在に気づかないことは難しいでしょう。多くの人が一度は基地の存在を意識し、本土とのギャップに驚かされるのではないでしょうか。にもかかわらず、観光を終えて本土に戻ってくると、遅かれ早かれ基地の光景は意識から遠ざかり、忘れ去られてしまう。観光客としての私たちは、沖縄の基地を一瞬目撃したとしても、結果としては「見て」いない。見ているのに見ていない。見なかったことにしている。そういって過言ではないように思うのです。

　本土の人びとが沖縄の基地問題をじつは知っていながら、それに関心を寄せることが少ない事情は、本土のメディアによっても助長されています。沖縄の主要新聞（「琉球新報」や「沖縄タイムス」）であれば、基地問題の記事がまったく掲載されない日はほとんどありません。大きな事件や事故が起きたり、政治的に重要な出来事があったりすれば、大きく取り上げられ、連日報道が続くことも稀《まれ》ではありません。それに比べると、本土の主要新聞やテレビなどでは、よほど大きな出来事でなければ沖縄の基地問題は取り上げられず、扱いも比較にならないほど小さいのです。

　象徴的なエピソードがあります。二〇〇四年八月一三日、宜野湾《ぎのわん》市の普天間飛行場に隣接する沖縄国際大学に米軍ヘリコプターが墜落するという衝撃的な事故が起きました。幸い学生や教職員に死傷者は出ませんでしたが、一歩間違えば大惨事になるところでした。それだけでなく、事故現場をすぐに米軍が封鎖して沖縄県警など日本側が入れない状態を作り出したため、日米地位協定により米軍が日本の主権を超越した存在であることがあらためて突きつけられた事故でした。沖縄の新聞は号外を出し、連日一面トップで事故とその続報を報じただけでなく、大きく紙面を割いて事件を掘り下げる報道を続けました。ところが、この事故の第一報は、全国紙の朝日新聞と毎日新聞では一面の三番手で、トップ記事はプロ野球読売ジャイアンツのオーナー交代でしたし、読売新聞、産経新聞、日本経済新聞では一面どころか社会面でも最大の記事ではなかったのです（いずれも東京本社版）。

こうした事情は、近年では多少とも改善されつつあるかもしれません。辺野古の新基地建設（普天間飛行場の「県内移設」）を強行しようとする政府と、それに反対する沖縄の民意との対立が長く激しく続いたことで、本土メディアの報道が増えたとすれば皮肉なことではあります。先に見た世論調査に表われていたように、本土でも沖縄への基地集中はよくないと考える人びとが増え、沖縄の基地の一部を本土が負担することに賛成する人も決して少なくないことは歓迎すべき事実です。問題は、にもかかわらず、自分の住む地域に沖縄の基地を受け入れることには多くの人がなお賛成できないでいることです。日米安保体制（日米安保条約に基づく「日米同盟」）を支持するということは、日本に米軍が駐留すること、米軍基地を置くことを認めるということです。そうした人々が圧倒的多数でありながら、米軍基地を自分の住む地方に置くことには多くの人びとが反対する。この根本的な矛盾の結果として、在日米軍基地の多くが沖縄という小さな地域に押しつけられてきたわけです。

日本政府の安全保障政策とそれを支持する本土有権者の政治的選択の結果として、数十年にわたって沖縄は「基地の島」という苦境に追いやられてきました。このままでよいはずはありません。今からでも積極的に沖縄の歴史と現実を知り、沖縄を犠牲にしてきた政治を変えていくことが求められているのだと思います。

対話　沖縄へのコロニアリズムについて

知念ウシ×高橋哲哉

知念ウシ（ちにん・うしぃ）一九六六年、琉球列島米国民政府（USCAR）下の沖縄島首里に生まれた琉球人。津田塾大学、東京大学卒業。沖縄国際大学大学院修了。むぬかちゃー&むぬかんげーやー、沖縄国際大学・沖縄キリスト教学院大学非常勤講師。著書に『ウシがゆく——植民地主義を探検し、私をさがす旅』『シランフーナー（知らんふり）の暴力：知念ウシ政治発言集』、共著に『沖縄、脱植民地への胎動』、『闘争する境界——復帰後世代の沖縄からの報告』がある。

高橋　知念ウシさんとは「復帰」四〇年の年に一度対談しましたね（朝日新聞二〇一二年五月一五日）。そこで知念さんから、沖縄の現状は日本による植民地支配だと思う、基地の押しつけは止めて日本に引き取るべきだと言われ、私はそれを日本人の責任として受けとめたいと答えました。

でも、それからすでに一〇年以上が過ぎて、「復帰」五〇年を超えても、基地問題の解決はほど遠い現状です。忸怩《じくじ》たる思いがあります。その上いま、ロシアのウクライナ侵攻をきっかけに「台湾有事」が喧伝《けんでん》され、自衛隊がミサイル部隊などの形で琉球諸島にどんどん進出しています。危機が深まっていますが、なかなか止められません。

知念　毎日、新聞を見るのがとても怖いです。地元沖縄の新聞の一面はだいたいいつも自衛隊配備強化の話ですから。

沖縄戦の教訓（沖縄戦の体験からわかったこと）は三つあると私は思っています。一つは、軍隊のいるところに攻撃がくる。二つめは、軍隊は敵も味方も住民を守らない。そして三つめに、命《ぬち》どぅ宝。命を大切にするためには戦争に反対しなければならない、ということです。

　これを植民地主義批判の観点から沖縄戦固有の教訓として言えば、第一に日本の軍隊は琉球《りゅうきゅう》を守らない、第二に日本は琉球を犠牲にする、ということになります。

高橋　日本人はよく一般論として、軍隊は住民を守らないと言いますが、沖縄戦の場合そういう一般論では植民地主義の問題が抜け落ちてしまう。宗主国日本の国軍と、事実上植民地支配を受けていた琉球との関係も考慮する必要がある、ということですね。

知念　そうです。軍隊のいるところに敵の攻撃が来るという点からいえば、米軍も日本の自衛隊もその基地が増えれば増えるだけ、沖縄（琉球）に敵の攻撃を呼び寄せる危険性が高まるんです。実際、ウクライナ戦争の初期、ロシアはウクライナの軍事施設を攻撃していましたね。国際法（戦争法）では、敵の軍事施設を反撃することは戦争法違反になりませんから。的が逸《そ》れて軍事施設ではなく周囲の民間地域に弾が当たったとしても、それがわざとだと証明されない限り、違法ではないことになります。つまり、沖縄戦の教訓、現在起こっていること、国際法から言って、米軍や自衛隊の基地が「防衛」

を名目に強化されても、安全が増すのではないわけです。

琉球諸島を中心に今ある米軍に加えて、自衛隊の軍事施設が増強されるのは、私たちの地域がまるで「戦争特区」にされているように感じます。「戦争はこちらへどうぞ」と日本政府のほうが、誘致しているような感じ。それが怖いんです。

現実が怖いから、とにかくこの現実を正面から見ないで、生き延びるために少しごまかしながら、それでも気になってチラチラ見ているみたいな、そんなところもあるんです。ところがネットのニュースでヤマトゥの報道を見ると、まったく危機感がないですね。

それに、コロナ禍がやや落ち着いたといって観光客がまたドッと増えました。南の島のパラダイス沖縄、観光客が夢見るリゾート・アイランドみたいな沖縄のイメージがふりまかれて、軍事基地化の恐怖感とのギャップがすごい。違う国の話みたいだし、私たちとは違う沖縄の現実を生きている観光客がいる。分裂している感じ。自分がバラバラにされるような感じです。

高橋　リゾート地としての沖縄、青い海、青い空、美味しい料理……そして、自分たちを優しく歓待してくれる人々。こういうものは、欧米のコロニアリズムに見られるオリエンタリズムに似ていますね。宗主国の人間が植民地に自分たちのところにはないエキゾチックなものを求めて、そこで癒しを得る。実は、軍事的な進出とリゾート地としての消費はコロニアリズムの両面ではないでしょうか。

知念　そう言えます。観光地だけど軍事基地でもあるから、米国の戦争とか何かあった場合にはすぐ人が来なくなるというリスクも抱えています。観光とコロニアリズムはすごく結びついていて、植民地は宗主国の観光客に依存しがちになるし、宗主国の人は観光客として支配するというか……。沖縄に来てお金を落としてやっているんだから感謝されて当たり前だとか、基地問題で責められるとか嫌な気持ちにさせないでほしいとか、沖縄の経済に貢献してるんだから、まあいいじゃないの、みたいな。一種の取り引きのようにされてしまう。では観光産業で、その金が地元の人にどれだけ行っているかというと、そうでもないわけですね。大きな観光資本が入っていますから。

高橋　「ザル経済」などと言われますね。

知念　建設業だけじゃなくて観光業も「ザル経済」。ホテルとか航空会社とか大きな資本は全部、ヤマトゥのものか外国のものです。地元は本当に小さなおこぼれに与《あず》かれるかどうか。それなのに、沖縄の人みんな「ウェルカムンチュ」になろう、なんてキャンペーンもあるんですよ。ウチナーンチュが沖縄の人、ヤマトゥンチュがヤマトの人つまり日本人を意味するのに似せて、ウェルカムンチュは「ウェルカムする人」という意味で観光業による造語です。観光業の人はプロフェッショナルとしてちゃんと高い報酬もらって働けばよいのですが、関係ない人まで沖縄の人はみなウェルカムンチュになろうって、おかしいじゃないですか。そんなふうに、観光の問題が基地問題を見えなくしているし、沖縄の人のものの感じ方や考え方にすごく影響を与えています。

高橋　『無意識の植民地主義　日本人の米軍基地と沖縄人』を書いた野村浩也《のむらこうや》さんが、「沖縄大好きハラスメント」と言っています。沖縄ブームを経て、かつてのような沖縄出身者に対するあからさまな差別はなくなり、「沖縄素敵」、「沖縄大好き」などと言う日本人は増えたけれども、それは、沖縄に基地を押しつけている現実を隠す効果をもっているんじゃないかと。基地を押しつけられている現実に不満や批判をもっている沖縄の人からしたら、それは一種のハラスメントになるんじゃないか。

知念 そうですね。とりあえず「大好き」と言っておけば、文句は言われないんじゃないかと。「好きと言っているんだから、受け入れてよ。感謝してよ」と押しつけるハラスメント。でも、人って、「大好き」と言われてもね、ノーサンキューなことだってあるわけだし。差別の歴史や現実があるところで「沖縄、私は好きですよ」と言っておけば、自分は「いい人」になれる、感謝されることを期待するんでしょうね。野村さんは「愛という名の支配」とも名づけていますね。

高橋 植民地支配をしている側の人間が、植民地の人々に歓迎されたいとか、感謝されたいという感覚がそもそも変です。琉球併合以来、日本が沖縄に対してしてきたこと、とくに沖縄戦、講和条約で主権回復のために米国に売り渡したこと、辺野古《へのこ》新基地に至るまで基地を押しつけてきたこと。日本人は沖縄の人たちからたとえ憎しみを向けられても仕方がないことをしてきてしまった、と私は思うんです。目取真俊《めどるましゅん》さんが「沖縄人は日本人を信用してはならない」と書いていますね。日本人の方は、「えー？　そんなこと言わないで。大好きなんだから」と言う人がたぶんいると思うんですよ。でも、歴史的にこれだけ酷《ひど》い目にあわせてきて、それで信用してくださいと言っても、なかなか信用されないのが当たり前だというところから、日本人としては出発しないといけないんじゃないか。

知念　そうだと思います。沖縄には「ナイチャー」という言葉があります。「内地人」を琉球語風にすると「ナイチャー」で、最近の若い人も使っています。ただ、これには普通の本土出身者という意味の他に、反発とか、怒りとか、批判的な気持ちが込められていることもあって、日本人のなかには「ナイチャー」と言われるのを嫌がる人がいる。「ナイチャー」は差別語だとか、「日本人を逆差別するのか」などと怒る人さえいるんです。

でも、おかしいですよ。差別は権力がないとできないから、沖縄の人がヤマトゥの人を差別することは不可能です。沖縄の人に「ナイチャー」と言われてカチンとくるのは、自分の権力性が当たり前だと思っている表れなのではないでしょうか。既得権益として当たり前にしていたことをちょっと批判的に問い直されたことで、辛いというか痛いというか、そんな感じがするんじゃないか。それは「自分が権力をもっている側だと指摘された痛さ」なので、すぐに逆差別だとかいうんじゃなくて、考えてほしいと思うんです。「呼びかけ」ですから、それは。「ナイチャーと呼ばれるような位置にいるあなたって、どうなんですか」という呼びかけ。

高橋 フェミニズムに対して男の側が逆差別を言ったり、アメリカでレイシズムが問題になるときに白人の側が逆差別だと言ったり、そういう動きと似ていますね。加害者側が被害者意識を募らせて、被害者を加害者視する動き。それは私は、あらゆる人の尊厳とか、平等とか、そういうことが国際人権法上も規範になってきていて、それに対する反動だと思います。自分たちが支配者然として権力をふるっていること自体が不正と見なされる。それを自分たちが差別されているように誤解してしまう。

知念　琉球はもともと別の国だったけど日本に武力で併合されて沖縄県になった。日本の敗戦後、米国の支配下にあったけど、「復帰」してまた沖縄県になった。だから沖縄は日本だ、日本のものだと思っているかもしれないけれど、私に言わせればやっぱり沖縄は琉球だし、日本とは違う他者なんだと知ってほしいです。

今の、いわゆる「本土」の人たちは沖縄ブームのなかで沖縄に近づいて、本土とは異質で面白そうだからちょっと住んでみようとか、沖縄好きだから三線《さんしん》とか歌とか沖縄文化やってみようとか、そんなふうになりやすい。そして沖縄に移住してきて「私もウチナーンチュだよ」って。だけど、ちょっと待ってほしい、やっぱりそれは違うよと。他者としてリスペクトしてほしいんです。私たちが沖縄人とか琉球人とかウチナーンチュとか名乗るときは、これまでの被差別と抵抗の歴史、その本当に苦しい歴史を逃げないで引き受けて、それに負けないよという意味で名乗るわけですから。

こういうことを言うと、すぐ「排他的だ」とか、カチンとくるようなんですが、そこに立ち止まって考えてみてほしい。カチンとくるのは支配者意識があるからじゃないか、沖縄は自分たちのものだという意識があるからじゃないか。そこに気づいてほしいんです。

高橋　そうでなければカチンときませんものね。他者じゃなくて自分のものだと思っていた、それを突然「違う」と言われてカチンとくる。自分のものだという意識、所有、領有したいという欲望、それこそまさに植民地主義の欲望そのものですからね。

知念　沖縄島の言葉で泥棒のことをヌスドゥとか、ヌスルーとか言うんですけど、最近気になっているのはアイデンティティ・ヌスルーのことです。琉球の民が過酷な現実に抗いながら自分たちで一生懸命に作ってきたアイデンティティを、「私も沖縄が好きだから仲間に入れて」みたいな感覚で、気楽に「私も沖縄人だよ」と言う人たちがいるんです。琉球人と日本人とは立場が違い、歴史が違うので、日本人からの同化の圧力に抗して琉球人が作ってきたアイデンティティを、それを奪ってきた日本人が「自分もそうだよ」と言ってしまっては、やっぱりヌスルーですよ。それによってアイデンティティの意味内容が変わってしまう。元の意味がなくなる。それは奪われるということなんです。

高橋　たとえば、ショパン・コンクールでアジア系の人が優勝しても、誰も文句はないわけですよね。むしろ評価される。そういうものとどこが違うのか。やはり植民地支配つまり権力関係を背景にして、支配している側が支配されている側の文化やアイデンティティを領有する、そこに問題があるんじゃないでしょうか。

知念　そうですね。たとえばレゲエ。世界中の人がやるわけですが、ジャマイカの人がやるレゲエと他の人がやるレゲエは、たぶん違う。レゲエはジャマイカの人が自分たちの解放のためにやってきた音楽だから。被抑圧―別の抑圧の関係のある地域で、他の被抑圧者が、ジャマイカの人の歴史とその精神を学び敬意を持って、自分たちの解放を求める思いを重ねて歌うレゲエというのはあるでしょう。でも、そうでないものと同じとは言えない。

琉球の音楽も言葉も、日本の同化主義のもとで否定されてきた歴史があります。さらに戦争や軍事占領、基地問題という抑圧の歴史があり、その中で、その圧迫に負けないように歌い続けてきた人たちがいて、琉球人の魂としての音楽がある。それを支配者側のヤマトゥの人が綺麗に上手にやったとしても、琉球人の魂の解放のための音楽ではない。私たちは今も基地を押しつけられて、植民地にされ、毎日自分を否定されています。その苦しみのなかで、どう生きるかというときに、今まで抵抗してきた先輩たちの文化が支えになり、拠《よ》り所になる。沖縄の人が琉球の言葉や文化を取り戻していこうという運動には、そういう意味があるんです。

高橋　知念さんは最近、沖縄戦のときの島田叡《しまだあきら》知事を称える動きを批判していますね。ヤマト側の一種の文化戦略として。

知念　ええ。沖縄を「捨て石」にした戦争で日本軍が住民を巻き添えにした、でも沖縄の人を助けようとした「良い日本人」もいたんだといって、島田知事をヒーローにしたがるんですね。TBSの佐古忠彦《さこただひこ》さんがテレビのドキュメンタリードラマにして、続いて監督としてドキュメンタリー映画『生きろ　島田叡——戦中最後の沖縄県知事』を製作したんですが、さらに五十嵐匠《いがらししょう》監督の映画『島守の塔』がいまも上映会が開催されています。住民を疎開させるとか、台湾からお米や食糧を調達してくるとか、戦争遂行のために必要なことをやっているのに住民の生命を助けるためにやった、「人道」目的でやったように美化されるんです。

高橋　『シンドラーのリスト』のオスカー・シンドラーみたいな存在にされる。

知念　シンドラーの方がまだいいかもしれない。シンドラーはナチスの政策を遂行したわけではありませんよね。島田叡という人は天皇の官吏ですから、まさに天皇の戦争を遂行するために命をかけた人物。伊佐眞一《いさしんいち》さんは「バリバリの内務官僚」と言っていますが、上海では特高警察の幹部として、抗日や独立運動の中国人、朝鮮人をテロリスト、不逞鮮人《ふていせんじん》などと呼んで弾圧する側だった人ですよ。沖縄でも鉄血勤皇隊の編成とか、軍と協力して住民を動員しているわけです。朝鮮や沖縄の女性を「慰安婦」にした日本軍のための慰安所の設置や、敵を見たら必ず打ち殺そうとか、スパイの発見に努めようとか、エグイ指示をいろいろ出しているのに、映画ではそんな部分はうまく隠して、今風の「良い人」に仕立てられています。

高橋　私も『島守の塔』を観ましたが、特高警察の幹部だった人が、まるで地獄の戦場に舞い降りた人道主義者みたいになっていて、驚きました。

知念　また、コロニアリズムの問題として忘れてほしくないのは、沖縄への「移住者」の問題です。いま琉球諸島の軍事要塞化がますます進むなかで、ヤマトゥからの人の「移住」も増えています。離島に自衛隊が進出して隊員が増え、島の人口構成が変わってしまうのも、自治体の選挙で地元の人の民意が反映されにくくなる点で怖いことですが、それだけではありません。社会のさまざまな場所で、ごくごく日常的な場面で、ヤマトゥからの移住者が多くなって地元の人が圧迫感を感じている。たとえば、沖縄戦中戦後に育ったお年寄りの世代のために自治体がやっている市民講座に、引退してヤマトゥから移住してきた人たちがこぞって参加して、地元の人が行きにくくなって足が遠のいてしまうとか、福祉関係の事業がなにか移住者のためのものみたいになってきていま す。

深刻なのは、移住者グループのなかから議員や政治家を出そうとしていて、実際に政治勢力になろうとしています。東京の国会では沖縄選出の議員は圧倒的少数ですが、地元沖縄の政治すら本土出身者が牛耳《ぎゅうじ》ることになりかねない。大学のポストや新聞社などにも移住者が多いから、世論形成とか社会的に影響力のあるポストも「本土」出身者が占め始めているんです。

高橋 移住のことをネガティブに言うと、すぐ「排外主義だ」と言って反論する人が出てくるでしょうね。でも、英語でセトラー・コロニアリズム（移住者植民地主義）という概念があって、分かりやすいのはアメリカです。ヨーロッパ人が移住してきて、先住民の人たちを虐殺したり追い出したりして自分たちの国にしてしまう。日本でもアイヌに対しては似たようなことが起きたわけです。アイヌモシリ（アイヌの土地）だったところに和人が入植して、「北海道」と名づけて支配することにした。沖縄島は人口も多いし、現代ではそんなことは想像しにくいとは思いますが、でも、本土出身者が政治や経済や社会の面で、沖縄県を実質的に支配するといったことがありえないとは言えませんね。

移住者は少なくとも、琉球併合以来の植民地主義の歴史を踏まえて、自分たちの行動がどういう意味をもつかに自覚的、自己反省的である必要がありますね。もっともこれは移住者に限らず、日本人一般に言えることですが。

知念　私はあえて「移住者よ、もう来ないで」と言いたいです。ヤマトゥの若い人たちは、「沖縄に移住して、こんないい生活を送りたい」みたいなイメージで来るかもしれないけど、立ち止まって考えてほしいのです。沖縄でカフェをしたい、マリンスポーツがしたい、店を出したい、沖縄文化の担い手になりたい、平和運動がしたい、沖縄の人の社会に入って自分も沖縄人になりたい、などの夢やロマンは、植民地主義的な欲望なのではないでしょうか。沖縄の空間、歴史、文化、社会、アイデンティティを〝自分のものにしたい〟という欲望。そうではないかと自分を問うてほしい。

高橋　他者や他者のものを一方的にわがものにしたい、領有したいという要望が、植民地主義的意識の本質だと思います。

知念　日本と沖縄の人口比は一〇〇対一です。日本に住んでいる人が全員日本人ではないことはもちろんですが、それでも大和人が圧倒的多数派です。その一員であることは、自分では意識しなくても、大きな権力になります。ましてや、大和人に寄せる、合わせるように、従属するようにという日本同化教育が琉球では一五〇年に渡ってなされてきました。マジョリティであるということは、その人自身が何か悪いことをしたわけでなくとも、数の暴力となってしまいます。そのような権力的な立場にいることに開き直って、権力を振るわないで、私たちとどうやったら対等、平等な人間関係をつくれるかを考えてほしいのです。沖縄への「移住ロマン」は自分の地元で実現しましょうよ。沖縄に移住するんじゃなくて、自分のところをよくするために頑張ってほしいな。自分の地元がよくなり、ヤマトゥ、日本がよくなれば、日本と沖縄・琉球の関係もよくなることにつながります。

基地問題でも私は、本土の人は沖縄の基地を本土で引き取る努力をしてほしいと、ずっと言い続けてきました。引き取りながら、本土の皆さん、自分たちで当事者として基地問題に取り組んでほしいです。だって、あまりに違いすぎますよ。沖縄から本土に来るといつも思います。日米安保に賛成の人が大多数らしいのに、どうしてこんなに基地が少ないんだろうって。沖縄では生まれたときから基地のことで悩んでいるし、リスクを抱えているのに、ヤマトゥではほとんどの人が考えてもいないわけで、同じ国とは思えないほどの意識の差があります。ヤマトゥの人は私たちの顔の上に立っているという感じがするんですよ。私たちの顔を踏んで、基地のほとんどない本土にいる。これを変えてほしいし、変えないといけない。そうでないと、基地問題も解決に向かっていかないし、人間として対等な存在だとは言えない。それは我慢ができないんです。

二〇二三年五月一八日収録　構成・編集部

図版製作　朝日メディアインターナショナル

ちくまプリマー新書

312
はじめての明治史
――東大駒場連続講義
山口輝臣編
「幕府はどうして倒れたのか？」「日露戦争はなぜ起きたのか？」など、近代史の謎に第一線の歴史家が挑み、学生の鋭い問いに答える。スリリングな講義の実況中継。

341
はじめての日本古代史
倉本一宏
日本が誕生する瞬間を体感せよ！「農耕のはじまり」「律令国家の形成」から「院政の開始」「武士の台頭」までを一気に駆け抜ける。すべての日本人必読の一冊。

282
歴史に「何を」学ぶのか
半藤一利
「いま」を考えるための歴史へのアプローチ！　歴史探偵への目覚め、天皇退位問題の背景、アメリカの現在と過去……未来へ向けた歴史の学び方を語り尽くす。

314
歴史を知る楽しみ
――史料から日本史を読みなおす
家近良樹
歴史を学ぶことは昔の出来事を暗記することじゃない！教科書を飛び出し歴史学の世界へ。幕末史の第一人者が意外な史実満載で贈る、とっておき歴史の楽しみ方。

ちくまプリマー新書

344
日本史でたどるニッポン
本郷和人
日本はひとつの民族が、ひとつの言語を使い、ひとつの国家を形成して長い歴史があると習う。けれどもそれは本当だろうか？　どのように今の日本になったのか。

410
歴史学のトリセツ
――歴史の見方が変わるとき
小田中直樹
歴史って面白い？　つまらないならその理由を探るべく、歴史学の流れを振り返ろう。事実、記憶、視野の大小など、その変化を知れば、歴史の考え方が変わるはず。

346
子どもたちに語る 日中二千年史
小島毅
日本の歩みは、いつの時代も中国の圧倒的な影響下にあった。両国の長く複雑な関係性を一望することで、歴史の本当のありようを浮き彫りにする。はじめての通史！

258
戦争とは何だろうか
西谷修
戦後70年が過ぎ戦争の記憶が薄れかけている今、実は戦争は近づいてきている。どのように国や国民は巻き込まれていくのだろう？　戦争とは何かを考える一冊。

ちくまプリマー新書

288
ヨーロッパ文明の起源
――聖書が伝える古代オリエントの世界
池上英洋
ヨーロッパ文明の草創期には何があり、人類はどのようにそれを築いていったか――。聖書や神話、遺跡などをてがかりに、「文明のはじまり」の姿を描き出す。

450
君主制とはなんだろうか
君塚直隆
この世界最古の政治制度がわかると、世界史がおもしろくなる！　君主の誕生から革命を経て、現代にいたるまでを一望する、かつてない君主たちの５０００年史。

162
世界の教科書でよむ〈宗教〉
藤原聖子
宗教というとニュースはテロや事件のことばかり。子どもたちは学校で他人の宗教とどう付き合うよう教えられているのか、欧米・アジア９か国の教科書をみてみよう。

184
イスラームから世界を見る
内藤正典
誤解や偏見とともに語られがちなイスラーム。その本当の姿をイスラーム世界の内側から解き明かす。イスラームの「いま」を知り、「これから」を考えるための一冊。

ちくまプリマー新書

330
日本人にとって自然とはなにか
宇根豊

日本人はなぜ自然が好きなのか。近代的自然観や、百姓の体験に根ざした自然への見方から日本人独特の自然観を明らかにし、新しい自然へのアプローチを提唱する。

453
人生のレールを外れる衝動のみつけかた
谷川嘉浩

「将来の夢」「やりたいこと」を聞かれたとき、なんとなくやり過ごしていませんか？　自分を忘れるほど夢中になれる「なにか」を探すための道標がここにある。

416
君たちが生き延びるために
——高校生との22の対話
天童荒太

誰にもある「ルック・アット・ミー（わたしを気にして）」と言う権利を自覚し、しっかり生き延びてほしい。小説家から若い人へのメッセージ。

385
従順さのどこがいけないのか
将基面貴巳

「みんな、そうしているよ」「ルールだから、しかたがない」「先生がいってるんだから」この発想がいかに危険なものなのか、政治、思想、歴史から解明します。

ちくまプリマー新書

440
ルールはそもそもなんのためにあるのか
住吉雅美
決められたことには何の疑問も持たずに従うことが正しい？　ブルシットなルールに従う前に考えてみよう！　ルールの原理を問い、武器に変える法哲学入門。

445
人間関係ってどういう関係？
平尾昌宏
家族、恋人、友人――いちばんすぐそばにあり、実はいちばん攌みどころのない「身近な関係」をいちから捉えなおし、人間関係の息苦しさとさみしさをときほぐす。

405
「みんな違ってみんないい」のか？
――相対主義と普遍主義の問題
山口裕之
他人との関係を切り捨てるのでもなく、自分と異なる考えを否定するのでもなく――「正しさ」とは何か、それはどのようにして作られていくものかを考える。

412
君は君の人生の主役になれ
鳥羽和久
管理社会で「普通」になる方法を耳打ちする大人の中で育ち、安心を求めるばかりのあなたは自分独特の生き方を失っている。そんな子供と大人が生き直すための本。

ちくまプリマー新書

395
人生はゲームなのだろうか？
——〈答えのなさそうな問題〉に答える哲学
平尾昌宏
読書猿さん推薦！　ルールも目的もはっきりしないこの「人生」を生き抜くために、思考の「根拠」や「理由」をひとつひとつ自分で摑みとる練習を始めよう。

332
宇宙はなぜ哲学の問題になるのか
伊藤邦武
「宇宙に果てはあるか」「広大な宇宙の片隅の私達は何者か」。プラトンもカントもウィトゲンシュタインも、哲学的思考の出発点は宇宙だった。謎の極限への大冒険。

329
何のための「教養」か
桑子敏雄
単なる〝飾り〟か、それとも〝命綱〟か。教養の力で人びとの合意形成を図る「地を這う哲学者」が斬り込む。すぐれた選択を導く知、思慮深さとはどういうもの？

292
ＱＯＬって何だろう
——医療とケアの生命倫理
小林亜津子
医療が高度化した現代、長生きだけが「幸せ」なのか？医療と人間性の接点をＱＯＬ（生活の質）に求め、人生百年時代の「よく生きる」を考える、生命倫理学入門。

ちくまプリマー新書

226
何のために「学ぶ」のか
――〈中学生からの大学講義〉1
外山滋比古／前田英樹／今福龍太
茂木健一郎／本川達雄／小林康夫
鷲田清一
大事なのは知識じゃない。正解のない問いを、考え続けるための知恵である。変化の激しい時代を生きる若い人たちへ、学びの達人たちが語る、心に響くメッセージ。

227
考える方法
――〈中学生からの大学講義〉2
永井均／池内了／管啓次郎
萱野稔人／上野千鶴子
若林幹夫／古井由吉
世の中には、言葉で表現できないことや答えのない問題がたくさんある。簡単に結論に飛びつかないために、考える達人が物事を解きほぐすことの豊かさを伝える。

228
科学は未来をひらく
――〈中学生からの大学講義〉3
村上陽一郎／中村桂子／佐藤勝彦
高薮縁／西成活裕／長谷川眞理子
藤田紘一郎／福岡伸一
宇宙はいつ始まったのか？　生き物はどうして生きているのか？　科学は長い間、多くの疑問に挑み続けている。第一線で活躍する著者たちが広くて深い世界に誘う。

229
揺らぐ世界
――〈中学生からの大学講義〉4
立花隆／岡真理／橋爪大三郎
森達也／藤原帰一／川田順造
伊豫谷登士翁
紛争、格差、環境問題……。世界はいまも多くの問題を抱えて揺らぐ。これらを理解するための視点は、どうすれば身につくのか。多彩な先生たちが示すヒント。

ちくまプリマー新書

230
生き抜く力を身につける
――〈中学生からの大学講義〉5
大澤真幸／北田暁大／多木浩二／宮沢章夫／阿形清和／鵜飼哲／西谷修
いくらでも選択肢のあるこの社会で、私たちは息苦しさを感じている。既存の枠組みを超えてきた先人達から、見取り図のない時代を生きるサバイバル技術を学ぼう！

305
学ぶということ
――続・中学生からの大学講義1
桐光学園＋ちくまプリマー新書編集部編
受験突破だけが目標じゃない。学び、考え続ければ重い扉が開くこともある。変化の激しい時代を生きる若い人たちへ、先達が伝える、これからの学びかた・考えかた。

306
歴史の読みかた
――続・中学生からの大学講義2
桐光学園＋ちくまプリマー新書編集部編
人類の長い歩みには、「これから」を学ぶヒントがいっぱいつまっている。その読み解きかたを先達に学び、君たち自身の手で未来をつくっていこう！

307
創造するということ
――続・中学生からの大学講義3
桐光学園＋ちくまプリマー新書編集部編
技術やネットワークが進化した今、一人でも様々なことができるようになってきた。新しい価値観を創る力を身につけて、自由な発想で一歩を踏み出そう。

ちくまプリマー新書457

沖縄《おきなわ》について私《わたし》たちが知《し》っておきたいこと

二〇二四年五月十日　初版第一刷発行

著者　高橋哲哉（たかはし・てつや）

装幀　クラフト・エヴィング商會

発行者　喜入冬子

発行所　株式会社筑摩書房
東京都台東区蔵前二-五-三　〒一一一-八七五五
電話番号　〇三-五六八七-二六〇一（代表）

印刷・製本　中央精版印刷株式会社

ISBN978-4-480-68479-0 C0221 Printed in Japan